D0307372

« ORIENTATIONS / E3 »

*Enfance – Éducation – Enseignement*

Collection dirigée par

Joseph MAJAULT et Bernard PLANQUE

avec la collaboration d'un Comité composé de : Anne-Marie COUTROT, rédactrice en chef de l'École des parents et éducateurs; Robert GLOTON, inspecteur départemental honoraire de l'Éducation nationale; Jean HASSENFORDER, docteur en pédagogie; Anne-Marie MEISSONNIER, productrice à la télévision; Didier Jacques PIVETEAU, professeur à l'Institut supérieur de pédagogie de Paris.

## DANS LA MÊME COLLECTION

*Parus :*

Gérard BELLANGER, *Le Cinéma dans la classe. Données pratiques pour la création collective et l'analyse du langage cinématographique.*

Jean BILLAUT, Gisèle DRONNE, Alain FOULIARD et Simonne SAUVY, *L'Enfant à la découverte de sa langue maternelle. Jeux de langage pour l'enseignement du français.*

Daniel CHEVROLET (avec la collaboration de Roger GAUTUN et Robert CUQ), *L'Université et la formation continue. Signe et sens d'une situation de l'éducation.*

Jeanne DELAIS, *Les Enfants de la Révolution.*

Gilbert DE LANDSHEERE (avec la collaboration de S. DE COSTER, W. DE COSTER et F. HOTYAT), *La Formation des enseignants demain.*

Pierre GAMARRA, *La Lecture : pour quoi faire? Le livre et l'enfant.*

Lucien GÉMINARD, *L'Enseignement éclaté. Étude des problèmes par l'analyse de système.*

Pierre GIOLITTO, *Classes de nature.*

Robert GLOTON, *L'Autorité à la dérive...*

Robert GLOTON et Claude CLERO, *L'Activité créatrice chez l'enfant.*

Jean-Paul GOURÉVITCH, *Défi à l'éducation.*

GROUPE FRANÇAIS D'ÉDUCATION NOUVELLE (GFEN), *Le Pouvoir de lire* (sous la direction de Josette JOLIBERT et de Robert GLOTON, en collaboration).

GROUPE FRANÇAIS D'ÉDUCATION NOUVELLE (GFEN), *Pour une autre pédagogie de la lecture* (sous la direction de Josette JOLIBERT et Hélène ROMIAN, en collaboration).

GROUPE FRANÇAIS D'ÉDUCATION NOUVELLE (GFEN), *L'Établissement scolaire, unité éducative* (en collaboration, sous la direction de Robert GLOTON).

Georges JEAN, *Pour une pédagogie de l'imaginaire.*

# CLASSES DE NATURE

COLLECTION « ORIENTATIONS/E3 »
*(Enfance-Éducation-Enseignement)*

# CLASSES DE NATURE

PAR

PIERRE GIOLITTO

CASTERMAN

371.3
b 496c

P5

ct. x/6 p 39 + critique.
1978 p 317

BIBLIOTHÈQUE
ÉCOLE POLYVALENTE LA POCATIÈRE
950. 12E AVENUE
LA POCATIÈRE, P.Q.   GOR 1Z0

19911

ISBN 2-203-20234-3

© *Casterman* 1978

*Droits de traduction et de reproduction réservés pour tous pays. Toute reproduction, même partielle, de cet ouvrage est interdite. Une copie ou reproduction par quelque procédé que ce soit, photographie, microfilm, bande magnétique, disque ou autre, constitue une contrefaçon passible des peines prévues par la loi du 11 mars 1957 sur la protection des droits d'auteur.*

BIBLIOTHÈQUE
ÉCOLE POLYVALENTE LA POCATIÈRE
950, 12E AVENUE
LA POCATIÈRE, P.Q. GOR 1ZO

# AVANT-PROPOS

En participant, en janvier 1953, à la première classe de neige, les élèves de l'école Gambetta de Vanves ont été à l'origine d'un phénomène aux implications multiples, à la fois pédagogiques, sociologiques, culturelles et économiques : les classes de nature[1]. Le besoin d'évasion et d'air pur manifesté par les enfants des grands ensembles urbains a, en effet, conduit à diversifier à l'infini le mouvement inauguré par les écoliers de la banlieue parisienne. On ne parlait, en 1953, que de classes de neige. On parle aujourd'hui de classes de mer, de classes vertes, de classes vendanges, de classes péniche, de classes à bicyclette, de classes équestres, de classes archéologiques, et de bien d'autres types de classes encore, au gré des possibilités, de l'imagination, et parfois même de la fantaisie des organisateurs. Le dénominateur commun de ces classes est de se situer « ailleurs », c'est-à-dire de ne pas fonctionner, temporairement, dans leur école urbaine habituelle. Cet « ailleurs » pouvant être la montagne, la mer ou la campagne. On regroupe habituellement sous trois rubriques l'ensemble de ces « classes-séjours » : les classes de neige, les classes de mer et les classes vertes. Les textes officiels appliquent à la réunion de ces trois sous-ensembles l'appellation commune de « classes transplantées ». Expression malheureuse s'il en est, dans la mesure où elle ne met l'accent que sur la modification d'implantation de la classe et non sur ce qui nous paraît l'essentiel, à savoir les changements introduits

---

1. Voir la bibliographie établie par l'Institut national de recherche et de documentation pédagogiques en janvier 1973, ainsi que *Le Courrier de l'Éducation* du 15 mars 1976.

dans la vie de la classe par sa « transplantation » même. Plutôt que du vocable administratif, qui ne cerne que l'aspect extérieur du phénomène, nous préférons user de l'expression « classes de nature » qui a le mérite de souligner les deux caractères spécifiques de ces classes : leur implantation en zone rurale, d'une part, et une organisation pédagogique fondée sur l'étude systématique du milieu naturel, d'autre part.

A la diversification des classes de nature, après que les classes de neige leur aient donné naissance, correspond un élargissement de leurs objectifs. On peut dire que ces classes se situent aujourd'hui au point de rencontre de quatre courants qui concernent non seulement notre institution scolaire, mais la société tout entière. Celui de ces courants qui s'est manifesté le plus tôt est relatif à l'amélioration de la santé des enfants par une pratique accrue de l'éducation physique et une vie en plein air, loin de l'atmosphère polluée des villes. Le second courant, beaucoup plus récent, se situe dans une perspective d'éducation écologique en vue de défendre l'environnement naturel de l'homme. L'objectif des initiateurs de ce mouvement est d'apprendre aux enfants à connaître et à aimer la nature, pour les inciter à la respecter et à la protéger. Le troisième courant est d'ordre pédagogique et il concerne la rénovation de nos méthodes d'enseignement, ainsi que l'amélioration de la relation vécue par le maître et ses élèves. Le dernier courant enfin, auquel participent les classes de nature, se rapporte à une conception de l'école qui en fait un lieu de rencontre, un carrefour où s'échangent idées et réalisations. Les classes de nature constituent, en effet, une structure d'accueil idéale, susceptible, entre autres, de favoriser le rapprochement d'individus issus d'horizons aussi divers que les ruraux et les citadins. Permettant aux uns et aux autres de se mieux connaître et de s'estimer davantage, donc de s'entraider si le besoin s'en fait sentir, elles participent de ce fait à la survie économique de certaines zones rurales menacées de désertification. Il arrive même que les classes de nature soient l'occasion de rencontres internationales au cours desquelles des jeunes de différents pays débattent des grandes orientations du monde d'aujourd'hui.

Après avoir situé les classes de nature dans leur contexte éducatif et sociologique, il nous appartiendra d'en retracer l'historique, de préciser la spécificité de chacune d'elles, avant de démêler les rouages de leur organisation. Nous aurons ainsi l'occasion, chemin faisant, de mettre à jour bien des incertitudes, des lacunes, voire des incohérences, aussi bien dans le fonctionnement des classes de nature que dans la législation qui les régit. Pour ne citer qu'un exemple, nous découvrirons, non sans surprise, qu'après plus de vingt ans d'existence, les classes de nature ne sont pas encore dotées d'une structure officielle d'animation et de coordination. D'où les entités multiples, et parfois contradictoires, que recouvre l'appellation « classes de nature ».

La marque distinctive des classes de nature ne réside pas, nous semble-t-il, dans le « bol d'air humaniste et écologique[2] » qu'elles fournissent aux élèves, mais dans la symbiose heureuse qu'elles réalisent entre une activité sportive, massivement pratiquée, et un travail scolaire en parfaite concordance avec les programmes officiels. Le slogan du Dr Fourestier : « tableau noir et pistes blanches », adapté pour les classes de mer en : « tableau noir et voiles blanches », évoque bien les deux pôles autour desquels gravite l'activité des classes de nature. Le travail scolaire ne se fonde cependant pas, en classes de nature, sur des méthodes pédagogiques identiques à celles pratiquées en ville. Nous devrons donc nous efforcer de préciser les lignes directrices de la pédagogie mise en œuvre dans ces classes, avant de tenter d'apprécier les atouts dont cette pédagogie dispose pour « contaminer » sa consœur traditionnelle et la

---

2. F. LAPOIX, « Les classes de nature », dans *Forêt-Loisirs et équipements de plein air,* n° 25, 1972.

conduire à mieux s'adapter aux caractéristiques de la personnalité enfantine et du monde d'aujourd'hui.

Il ne nous restera plus, pour achever notre étude, qu'à évoquer à grands traits le bilan actuel des classes de nature sur le plan quantitatif et qualitatif. Ce qui nous conduira à mettre en évidence le décalage existant entre les avantages de tous ordres dont sont porteuses ces classes et le caractère encore très parcellaire de leur développement.

## CHAPITRE PREMIER

# POURQUOI DES CLASSES DE NATURE?

La Circulaire du 14 novembre 1968 définit clairement les objectifs des classes de nature. « Il s'agit le plus souvent, précise le texte ministériel, de permettre à de jeunes enfants des grandes cités urbaines de bénéficier, durant quelques semaines, des bienfaits d'un climat sain et ensoleillé et de s'initier à un sport (ski, voile, natation...) tout en demeurant soumis durant cette période aux obligations de la scolarité normale. Il peut s'agir aussi de rechercher pour de jeunes citadins une prise de contact directe avec la nature... »

Les classes de nature prétendent donc répondre à quelques-unes des préoccupations majeures de la pédagogie contemporaine. Elles se proposent, d'une part, d'établir une indispensable unité entre l'éducation physique et intellectuelle de l'enfant et, d'autre part, d'améliorer la qualité de la relation qui le lie à son environnement naturel et humain. Lui donnant, en outre, l'occasion de prendre contact avec un milieu nouveau susceptible de lui apporter détente physique et enrichissement intellectuel, elles lui ouvrent pour l'avenir la voie de loisirs sains et culturels.

Les objectifs des classes de nature se sont donc considérablement étoffés depuis l'époque·où les classes de neige se souciaient essentiellement d'améliorer l'équilibre corporel des enfants. A dire vrai, la variété et la richesse des potentialités éducatives dont bénéficient les classes de nature justifient amplement l'objectif de formation globale que leur assignent leurs plus chaleureux partisans. Pour des raisons didactiques, nous fragmenterons cet objectif général en quatre objectifs particuliers.

## Permettre aux enfants d'acquérir un meilleur équilibre physique et psychique[1]

Si la « cure de santé » qu'elles réalisent n'est plus le seul objectif des classes de nature, elle n'en demeure pas moins encore l'un des plus importants. Le bénéfice physique que retirent les enfants d'un séjour en classes de nature résulte de la conjonction de trois facteurs favorables.

Le premier tient à la présence d'un climat aux caractéristiques très tranchées, susceptible de vivifier l'organisme enfantin. C'est ainsi que le climat montagnard procure à l'enfant des villes un véritable « coup de fouet physiologique », selon l'heureuse expression du Dr Fourestier. L'affaiblissement de la pression de l'air et de l'oxygène surexcite en effet les échanges respiratoires, augmente le rythme et le débit cardiaque, provoquant une meilleure oxygénation des tissus et stimulant les échanges nutritifs, ainsi que le fonctionnement du système nerveux central. L'abaissement de la température, l'intensité des radiations solaires, l'extrême sécheresse de l'air contribuent également en montagne à influencer bénéfiquement la santé de l'enfant.

Le climat marin n'est pas doué de vertus moindres. Il provoque une stimulation générale de toutes les fonctions vitales, en même temps qu'il exerce une action sédative sur l'organisme, du fait de la stabilité relative de la température, de l'humidité et de la pression qui le caractérise. Les phénomènes respiratoires sont particulièrement influencés par le climat marin, qui a pour effet d'augmenter l'amplitude des mouvements respiratoires, d'accroître la ventilation pulmonaire et le quotient respiratoire. La

---

1. Voir PLANCHON, *Vacances d'été et d'hiver à la montagne*, Éditions du Scarabée, 1969; PLANCHON, « Valeur d'un séjour d'hiver à la montagne », dans *Belles Vacances*, nº 28, 1964; DELORE et MILHAUD, *Précis d'hydrologie et de climatologie clinique et thérapeutique*, Doin, Paris; A. MAHÉ, *L'École heureuse*, Denoël, Paris, 1964.

fonction nutritive bénéficie elle aussi largement du climat marin. Celui-ci agit en effet favorablement sur le poids et la taille des enfants. Il accroît en outre le métabolisme de base, surexcite l'appétit et augmente le tonus général. Il assure enfin une meilleure fixation des sels minéraux (calcium et phosphore notamment), ainsi qu'une augmentation de l'utilisation des glucides et des protides.

Second avantage à porter au crédit des classes de nature, au regard de la santé des enfants, la possibilité qu'elles leur offrent de s'aérer loin des nuisances des villes. La vie dans les grandes cités constitue, en effet, une redoutable épreuve pour le fragile organisme de l'enfant. La pollution de l'air comme la rareté des espaces verts, le bruit né de l'accélération du rythme de vie comme le caractère artificiel et mécanisé de l'environnement urbain, tout concourt à porter atteinte à l'équilibre physique et psychique des enfants. Sans parler des carences affectives dont souffrent nombre d'entre eux, du fait d'une vie familiale tronquée par le travail des parents. La vie au sein d'un tel « bain de culture névrotique » engendre chez l'enfant nervosité, agressivité et troubles affectifs divers qui se traduisent souvent par des blocages scolaires.

Un séjour à la montagne, à la mer ou à la campagne constitue pour les enfants une véritable cure de désintoxication, un indispensable contrepoison qui leur permet de mieux résister aux agressions multiples, physiologiques et psychiques, dont ils sont quotidiennement victimes en ville.

Les classes de nature tentent enfin de remédier à la « fatigue scolaire » dénoncée en 1962 par le professeur R. Debré et le Dr D. Douady[2]. Si la mise en place progressive du tiers-temps pédagogique contribue à assurer un meilleur équilibre entre les activités proprement intellectuelles, celles d'expression manuelle

---

2. Cf. R. Debré et D. Douady, *La Fatigue de l'écolier dans le système scolaire actuel,* rapport présenté le 18 janvier 1962, SEVPEN, Paris.

et artistique et les activités physiques, il n'en demeure pas moins que les premières sont encore fortement privilégiées, l'école primaire prenant essentiellement en compte l'intellect de l'enfant au détriment des autres secteurs de sa personnalité, et plus particulièrement de son corps. Un écolier de douze ans est en effet soumis, trente-sept semaines par an, dans notre système scolaire traditionnel, à 5 heures d'exercices physiques contre 35 heures de travail intellectuel (dont 25 heures en classe et 10 à la maison), soit un rapport de 1 à 7.

Les classes de nature se proposent de pallier cette carence de notre système éducatif en rétablissant un juste équilibre entre activité physique et activité intellectuelle, répondant ainsi aux besoins fondamentaux des enfants, tels qu'ils ont été définis par R. Debré et D. Douady. Qu'il s'agisse des besoins d'ordre physiologique, comme celui d'activité physique, de sommeil, de lumière solaire ou de vie dans la nature, ou des besoins d'ordre affectif, psychologique et intellectuel, comme le besoin qui pousse l'enfant à refuser l'ennui, à se préserver de l'angoisse, à observer les choses et les gens autour de lui, à découvrir et apprécier le beau dans la nature ou les productions humaines, à prendre des initiatives et à agir de manière autonome.

### Mettre l'enfant en contact avec un milieu naturel et humain différent

L'enfant des villes, surtout s'il est de condition modeste, n'a guère l'occasion de sortir du cadre étroit dans lequel il est né et où il évolue quotidiennement. Le dépaysement des vacances ou des voyages est loin d'être le lot commun de tous les élèves de l'école primaire. Ce dépaysement, dont l'enfant a besoin pour assurer l'équilibre de son corps et de son esprit, les classes de nature le lui offrent. Mais elles font plus encore, en lui donnant la possibilité de s'intégrer de manière active à un milieu nouveau, dont il apprend peu à peu à découvrir la personnalité physique, économique, humaine, sociale et écologique. Ce faisant, les classes de nature contribuent à l'ouverture de l'esprit de l'enfant, en même temps qu'elles dotent son activité scolaire d'une puissante source de motivation.

Classes « hors les murs », dont la nature est le cadre et le thème d'étude, les « classes transplantées » participent tout naturellement à l'actuel mouvement en faveur de l'environnement. Mouvement qui résulte d'une prise de conscience récente du caractère limité des ressources naturelles et de la nécessité de les protéger. « Défendre et aménager l'environnement pour les générations présentes et à venir, affirme la Déclaration sur l'environnement adoptée à Stockholm par la Conférence des Nations Unies en 1972, est devenu pour l'humanité un objectiı primordial, une tâche dont il faudra coordonner et harmoniser la réalisation avec celle des objectifs fondamentaux déjà fixés de paix et de développement économique et social dans le monde entier. » La même déclaration assure encore que « la protection et l'amélioration de l'environnement est une question d'importance majeure qui affecte le bien-être des populations et le développement économique dans le monde entier ».

Face aux menaces multiples qui pèsent sur notre environnement naturel, et dont la « soif de vert » éprouvée par notre civilisation mécanisée ne peut qu'accroître la gravité, beaucoup n'entrevoient le salut que dans une « prise de conscience écologique » des jeunes, provoquée par l'éducation. Encore faut-il pour cela que cette science nouvelle, l'écologie, dont le but est d'inculquer aux hommes « une façon de penser qui est le respect des choses et des êtres qui les entourent[3] », soit introduite dans les programmes scolaires et que son enseignement parvienne à convaincre les jeunes que l'homme n'est pas seul sur la planète,

---

3. Pr DUVIGNAUD, Colloque international de l'OCDE, septembre 1962.

mais qu'il participe, avec les autres éléments de la biosphère, à l'équilibre général de la terre.

Le souci de parvenir à une gestion écologique plus saine du milieu naturel par le biais de nouvelles méthodes éducatives s'est clairement manifesté en 1970 lors de l'Année européenne de protection de la nature. En France, un accord est alors intervenu entre le ministère de l'Environnement et celui de l'Éducation[4] dans le but de définir un certain nombre d'actions prioritaires. Celles-ci portent essentiellement sur la sensibilisation des maîtres, tout au long de leur formation initiale et permanente, au problème de la protection de la nature, ainsi que sur la mise au point d'une pédagogie spécifique de l'environnement.

Les premiers linéaments du contenu et des méthodes de cette pédagogie ont été élaborés par le Colloque international « Enseignement et Environnement » qui s'est tenu à Aix du 16 au 21 octobre 1972. Ce colloque a notamment attiré l'attention sur la nécessité de mettre au point un matériel pédagogique adapté à ce type d'enseignement. Une Commission ministérielle des moyens d'enseignement relatifs à l'environnement a, en conséquence, été créée auprès de l'Institut national de recherche et de documentation pédagogiques. Cette commission se propose d'étudier l'intégration de la notion d'environnement dans la pédagogie des diverses disciplines scolaires, de fournir aux maîtres des divers niveaux une documentation et une information appropriées, de sélectionner enfin, et au besoin de préparer, le matériel pédagogique nécessaire à cet enseignement. Elle a déjà à son actif l'édition d'une plaquette intitulée *L'Enfant et l'environnement*, ainsi que la distribution dans les établissements scolaires de brochures sur les problèmes de protection de la nature éditées par divers organismes.

De cette politique, qui peu à peu se dessine, d'information et

---

4. Voir *Informations rapides,* ministère de l'Éducation nationale, 18 avril 1974.

d'éducation des jeunes quant à la sauvegarde de l'environnement, les classes de nature apparaissent comme le « fer de lance ». Toutes, en effet, des classes de neige aux classes de mer, en passant par les classes vertes, dont certaines se veulent uniquement classes-nature, font figurer dans leurs objectifs la sensibilisation des enfants aux beautés et aux richesses naturelles, ainsi qu'à la nécessité de les protéger.

Mais, comme on ne peut se préoccuper de protéger l'environnement sans le connaître, les classes de nature font de cette connaissance l'une de leurs préoccupations premières. Connaissance qui ne se limite pas au milieu naturel (relief, flore, faune, eaux, sol, air), mais qui englobe l'homme et ses activités, passées et présentes, l'homme comme utilisateur, transformateur et souvent aussi destructeur du cadre naturel. Initié aux lois qui régissent les grands équilibres naturels, l'enfant, qui a spontanément tendance à saccager la nature, éprouvant un plaisir ambigu à écraser l'herbe, casser les branches, arracher les fleurs ou détruire les animaux à sa portée, en vient progressivement à prendre conscience de la solidarité qui le lie aux autres êtres vivants, et des devoirs qui lui incombent à l'égard du milieu dont il tire sa subsistance. Les classes de nature parviennent ainsi à communiquer aux enfants, sans dogmatisme et sur le vif, l'habitude d'écouter, de respecter et de protéger la nature sauvage ou cultivée.

Apprenant aux enfants à connaître et à apprécier les hommes qui habitent les régions qu'ils découvrent, les classes de nature œuvrent, en outre, en faveur d'une meilleure compréhension entre ruraux et citadins. Il est courant d'observer aujourd'hui une certaine forme d'exploitation inconsciente des premiers par les seconds. Les habitants des villes investissent en effet le monde rural, sans chercher à le comprendre, uniquement préoccupés d'y installer leurs résidences secondaires ou de le parcourir en promeneurs ou en touristes. L'environnement rural ne constitue, pour nombre d'entre eux, qu'un lieu de passage ou un bien de consommation. Les classes de nature, en incitant les enfants à appréhender par le vécu la réalité du monde rural, leur permettent de constater que celui-ci est bien autre chose qu'un simple terrain de chasse ou un parcours pédestre. Qu'il est un véritable « milieu de vie » dont ils ont tout à découvrir. Connaissant mieux leurs travaux, mais aussi leur façon de penser, leur mode de vie, leurs coutumes et leur folklore, les petits citadins des classes de nature constatent que les ruraux sont des hommes comme les autres, dont les activités sont complémentaires de celles de leurs parents. Pénétrant plus avant dans la compréhension de leurs interlocuteurs, les enfants en viennent à envier le calme des ruraux, leur philosophie tranquille qui leur permet de faire face aux caprices de la nature. Ils en viennent aussi à mieux concevoir la nécessité de respecter la nature perçue comme l'instrument de travail du paysan. Tout citadin n'étant d'ailleurs que le descendant plus ou moins lointain d'un rural émigré en ville, les enfants éprouvent souvent, en classes de nature, le sentiment plus ou moins confus de retrouver leur patrie d'origine, de se « ressourcer »[5] en quelque sorte. Il n'est d'ailleurs pas interdit de penser qu'un tel sentiment a sa part dans le remarquable équilibre psychique dont jouissent habituellement les enfants en classes de nature.

Notons enfin que les contacts établis entre citadins et ruraux à l'occasion des classes de nature ne sont pas forcément éphémères et qu'il leur arrive de se prolonger et de s'amplifier par le biais de jumelages entre communes rurales et communes urbaines[6].

La pédagogie de l'environnement que se propose de promouvoir le ministère de l'Éducation trouve donc son banc d'essai naturel en classes de nature, les élèves s'y initiant à des

---

5. Cf. B. Tissier aux Deuxièmes États Généraux de l'Environnement, Rouen, octobre 1973, SEJSL.
6. L'Association Ville-Campagne (B.P. 39, 94220 Charenton) œuvre de manière très active en faveur de ce type de jumelage.

comportements qui n'aboutissent pas à la détérioration des sites. C'est ainsi notamment qu'on les incite à se méfier du virus de la « collectionnite » qui les pousse à recueillir sans discernement pierres, fleurs ou animaux. On leur apprend, de même, que pour constituer un herbier ou procéder à une étude d'animaux en aquarium, un seul spécimen est nécessaire dont la récolte, en ce qui concerne les animaux, doit s'opérer à l'aide d'instruments ne risquant pas de les blesser et en évitant de saccager les habitats. Seuls, d'ailleurs, pouvant être déplacés les animaux susceptibles de s'adapter au changement de milieu que constitue un aquarium. En fin de séjour, ceux-ci doivent être soigneusement replacés dans leur habitat d'origine. Les enfants sont également invités à se contenter, le plus souvent possible, de récolter des épaves d'algues, de mollusques, des exuvies de crustacés sans intérêt écologique. Considérant la nature comme un organisme vivant dont l'équilibre peut être compromis par la moindre maladresse, les élèves des classes de nature s'appliquent à ne rien déranger du fragile agencement dont ils ont appris à connaître la nécessité. C'est ainsi, par exemple, que tout caillou ou rocher soulevé et retourné est, une fois l'observation accomplie, replacé dans sa position d'origine.

Non seulement les élèves des classes de nature s'appliquent à percer les secrets de l'environnement sans polluer ou dégrader les paysages, sans détruire la flore ni déranger les animaux, mais ils s'emploient de plus à améliorer le fonctionnement des phénomènes naturels en protégeant activement faune et flore des campagnes. C'est ainsi qu'on voit des petits citadins construire des nichoirs ou des mangeoires pour les animaux, distribuer à ceux-ci de la nourriture dans les forêts enneigées, afficher dans les cabanes-abris destinées aux chasseurs les règlements de police de la chasse, ou encore procéder à des plantations d'arbres. Dans le but de conserver le souvenir de la vie rurale passée, telle classe verte d'Ardèche a collecté toutes sortes d'outils anciens pour organiser, avec l'aide de la municipalité, un petit musée local.

Vivant en symbiose parfaite avec l'environnement rural, les élèves des classes de nature sont donc fortement sensibilisés au problème de la protection de la nature. On peut, dès lors, espérer que, devenus adultes, ils ne se conduiront pas, comme le font trop souvent leurs aînés, en déprédateurs des richesses naturelles.

## Préparer les enfants à des loisirs sains et éducatifs

Habitués à observer les phénomènes naturels, à discerner les grandes lignes d'un paysage et à s'intéresser à la vie dans toutes ses manifestations, les élèves des classes de nature ne pourront jamais traverser en étrangers un milieu naturel et humain quel qu'il soit. Ce qui revient à dire que les classes de nature possèdent, entre autres avantages, celui de former les enfants à une pratique touristique intelligente et ouverte. Devenus grands, les élèves de ces classes ne ressembleront pas à ces touristes pressés qui « font » la Bretagne ou l'Auvergne, uniquement soucieux d'étoffer leur tableau de chasse touristique. Sachant regarder, écouter, sentir, ils n'hésiteront pas à faire halte pour détailler une église romane, jouir d'un coucher de soleil, converser avec un agriculteur ou simplement admirer une goutte d'eau suspendue à un brin d'herbe. Les touristes que veulent former les classes de nature sauront s'intégrer à un milieu de vie pour en percevoir les richesses. Ils contribueront à rapprocher les habitants des campagnes de ceux des villes, et ne seront pas entre eux un facteur de discorde comme le sont trop souvent les touristes d'aujourd'hui qui se conduisent à la campagne comme en terrain conquis, abandonnant n'importe où les reliefs de leurs repas, foulant l'herbe, voire le blé dans les champs, et troublant avec leurs transistors le repos des bêtes et des gens.

Les classes de nature sont encore trop récentes et trop peu nombreuses pour qu'on puisse tenter d'évaluer leurs résultats en ce domaine. Il est certain cependant qu'elles prodiguent une excellente initiation au tourisme culturel, ainsi que le reconnaît un enfant à l'issue d'une classe de mer : « Maintenant, écrit-il, je sais comment j'organiserai mes vacances pour qu'elles soient enrichissantes[7]. » Les classes de nature, et plus particulièrement les classes vertes, apparaissent ainsi comme l'« antidote du tourisme consommateur »[8], voire même parfois saccageur, car elles ne cherchent pas à utiliser, exploiter ou rentabiliser la nature, mais simplement à se mettre à son écoute pour la bien connaître et la mieux aimer.

### Inciter les enfants à s'adapter à une vie nouvelle

Les petits citadins issus d'un milieu populaire n'ont que très rarement l'occasion d'expérimenter un mode de vie différent du leur. Les classes de nature leur fournissent cette occasion, tout en leur offrant les conditions les plus propices à une adaptation exempte de tout traumatisme.

Le cadre de vie n'est, en effet, pas seul à être nouveau en classes de nature. L'existence qu'y mènent les enfants est, elle aussi, nouvelle, du moins pour la plupart d'entre eux. L'abri familial ayant disparu, les enfants sont continuellement mêlés à d'autres enfants avec lesquels ils doivent parfois jouer des coudes pour s'imposer. Le maître lui-même n'est plus ce qu'il était en ville. Plus proche des enfants, il en est aussi, dans une certaine mesure, plus distant car il les laisse davantage se prendre en charge eux-mêmes. Pour la première fois, les enfants sont conduits à assumer des responsabilités véritables. Le mode de vie qui sera le leur en classes de nature, il leur appartient de l'organiser, avant de le gérer sous forme coopérative. Les enfants doivent, pour cela, manifester des qualités que l'école

7. « Les classes de mer » dans *Pédagogie*, 6 juin 1975.
8. G. CLAIR, « Les classes transplantées » dans *Pourquoi?* n⁰ 102, décembre 1974.

traditionnelle ne se soucie pas toujours de développer chez eux. Ils doivent faire preuve d'initiative, posséder le goût d'entreprendre, manifester des talents d'organisateurs, savoir estimer leurs chances de réussite et évaluer les résultats de leur action. Il n'est pas jusqu'aux méthodes pédagogiques qui ne soient nouvelles, exigeant des enfants des qualités qui ne sont plus d'ordre strictement scolaire, mais qui sont celles que doit posséder tout individu autonome, entraîné à la réflexion et doué d'esprit critique.

Extraits de leur milieu d'origine, souvent protecteur et parfois infantilisant, les enfants sont donc conduits en classes de nature à prendre en charge une vie nouvelle qui leur donne l'occasion d'agir par eux-mêmes, qui les virilise en même temps qu'elle leur procure une première initiation aux mutations futures, professionnelles ou autres, qu'ils seront conduits à assumer dans leur vie d'adulte.

## CHAPITRE II

# LES ORIGINES DES CLASSES DE NATURE :
## DU MI-TEMPS AU TIERS-TEMPS PÉDAGOGIQUE

L'origine des classes de nature est à rechercher dans les excès d'une société urbanisée et industrialisée à l'extrême, qui réduit à une véritable misère physiologique et psychique nombre d'enfants des grands ensembles urbains, en même temps qu'elle conduit à un gaspillage effréné du capital-nature dont dispose l'humanité. Mais la société n'est pas seule en cause. Le mauvais fonctionnement d'une institution scolaire qui privilégie l'éducation de l'esprit au détriment de celle du corps, et qui use avec les enfants, accessibles seulement à l'aspect concret des choses, de méthodes pédagogiques où l'abstraction le dispute au dogmatisme, a également joué un rôle non négligeable dans l'apparition et le développement des classes de nature. Si ces problèmes ne sont pas récents, l'idée de tenter de les résoudre en faisant temporairement fonctionner des classes urbaines en pleine nature, l'est. Idée qui dut d'ailleurs longtemps cheminer avant de pouvoir s'exprimer, et surtout se concrétiser.

Mises à part quelques expériences de mi-temps réalisées au siècle dernier en Angleterre, les origines les plus lointaines des classes de nature se situent, au plan pédagogique, dans l'expérience des « classes nouvelles » qui, au lendemain de la Seconde Guerre mondiale, se proposaient, entre autres objectifs, d'ouvrir l'enseignement aux problèmes de l'environnement en y introduisant l'« étude du milieu ». Sur le plan institutionnel, les classes de nature sont directement issues du mi-temps pédagogique et sportif expérimenté dans les années cinquante à Vanves par le

Dr Fourestier. Celui-ci étant passé du mi-temps aux classes de neige, d'autres après lui passèrent de celles-ci aux classes de mer et aux classes vertes. L'arsenal des classes de nature se trouvait dès lors constitué.

### Le Dr Fourestier,
### promoteur du mi-temps pédagogique et sportif

Les expériences de mi-temps pédagogique et sportif qui se sont déroulées à Vanves entre 1950 et 1959, l'ont été à l'instigation du Dr Max Fourestier, inspecteur médical du Groupe scolaire Gambetta. Dès sa prise de fonction, le Dr Fourestier est frappé par les multiples déficiences physiques, respiratoires, squelettiques ou musculaires, dont souffrent de très nombreux enfants, en même temps que par la précarité de leurs résultats scolaires. Pour le Dr Fourestier, ces carences s'expliquent, l'une par le peu d'importance accordé à l'éducation physique dans l'enseignement primaire, l'autre par la fatigue qu'impose aux écoliers une mauvaise organisation de la journée scolaire. Homme d'action autant que de cœur, il décide de tout tenter pour redonner la joie de vivre aux petits écoliers dont il prend en charge l'équilibre physique et psychique. D'emblée, il propose une formule pédagogique révolutionnaire susceptible, selon lui, de créer « une race nouvelle d'adolescents français »[1] : le mi-temps pédagogique et sportif, dont il définit ainsi les modalités générales :

> Offrir à l'enfant une vie scolaire plus active et plus agréable en facilitant sa croissance, afin de lui donner une meilleure santé sans nuire à son développement intellectuel ni à l'acquisition des connaissances. Réduire au minimum les heures consacrées aux disciplines scolaires intellectuelles tout en respectant le programme officiel de

1. Voir *Recherches Universitaires,* n° 4, 1962.

manière à faire une plus large place aux exercices physiques pour
obtenir un meilleur développement physiologique et, en conséquence, un meilleur rendement intellectuel et pédagogique[2].

Le D$^r$ Fourestier entreprend sans tarder d'expérimenter le
nouveau système pédagogique dont il est l'inventeur. Et il réduit, pour commencer, de 25 à 19 h et demie l'horaire hebdomadaire des disciplines intellectuelles pour les élèves de l'école
Gambetta, en même temps qu'il leur octroie 12 h d'éducation
physique à la place des 2 h 30 dont ils bénéficiaient jusqu'alors.
Il ajoute à cela 4 heures hebdomadaires de sieste et goûter, ainsi
que 6 heures d'études du soir obligatoires.

La conséquence de ces modifications horaires est l'allongement du temps de présence des enfants à l'école : 43 heures
hebdomadaires contre 36 dans le système traditionnel. Pour le
D$^r$ Fourestier, cet allongement ne saurait perturber les enfants,
dans la mesure où c'est l'éducation physique qui en est responsable, et où il s'accompagne d'une meilleure organisation de la
journée scolaire. A l'école Gambetta, l'effort intellectuel le plus
intense se situe en effet le matin, et il se trouve simplement
complété par un effort plus modeste réalisé à l'étude du soir.
Quant à l'éducation physique, elle occupe tous les après-midi,
encadrée par deux siestes, l'une préparatoire et l'autre répara-
toire.

Le D$^r$ Fourestier ne se veut pas pédagogue. Aussi ne pré-
tend-il pas innover en matière de méthode d'enseignement. Le
mi-temps, écrit-il, n'est pas « une technique pédagogique spéciale ; sa part intellectuelle est traditionnelle ». Cependant, le
souci qui est le sien de ne pas nuire à l'acquisition des connaissances et de faire que les élèves pratiquant le mi-temps soient
reçus à leurs examens tout aussi bien que leurs camarades, le
conduit à vouloir compenser le déficit horaire qui affecte les

---

2. Cité par A. Mahé, *L'École heureuse, op. cit.*

activités intellectuelles par une organisation plus rationnelle de l'enseignement susceptible de le « condenser » et d'en accroître le « rendement ». « Tout pivote autour du rendement », écrit-il. « Seul le rendement doit compter, c'est-à-dire une somme de connaissances données et la rapidité de l'absorption[3]. » Pour atteindre cet objectif, il préconise l'utilisation de « certains procédés pédagogiques à rentabilité accélérée »[4]. « Dans une classe à mi-temps, écrit-il encore, il faudra compenser le déficit horaire intellectuel par l'emploi de toutes les techniques favorisant le plus rapidement possible la distribution — et une meilleure absorption — des matières enseignées[5]. » Parmi ces techniques « accélératrices », celles qu'il recommande le plus vivement sont les techniques audio-visuelles, car, estime-t-il, « le rendement horaire d'une telle pédagogie est infiniment supérieur aux méthodes traditionnelles[6] ».

Soucieux avant tout d'améliorer la condition physique de ses petits « cobayes » de Vanves et de prouver que la pratique du mi-temps ne nuit en rien à l'acquisition d'un volume suffisant de connaissances — acquisition qui constitue selon lui la finalité essentielle de l'école élémentaire —, le Dr Fourestier non seulement n'a pas vu tout le parti qu'il pouvait tirer du mi-temps sur le plan de l'amélioration des méthodes d'enseignement et de la relation maître-élèves, mais il a de plus aggravé le système pédagogique traditionnel en rêvant pour les écoliers de Vanves d'un « travail à la chaîne » au cours duquel ils acquerraient, de manière méthodique et quasi scientifique, un savoir préalablement « condensé et mâché ».

Afin de démontrer le caractère bénéfique de son système, sur le double plan de l'amélioration de la condition physique des

---

3. M. FOURESTIER, G. DISCOURS, « L'Expérience scolaire de Vanves », dans *Revue française d'hygiène et médecine scolaire,* tome VII, n° 2, 1954.
4. *Recherches Universitaires, op. cit.*
5. M. FOURESTIER, « L'Expérience scolaire de Vanves », *op. cit.*
6. *Ibid.*

ÉCOLE POLYVALENTE
BIBLIOTHÈQUE
LA POCATIÈRE, 12E AVENUE LA POCATIÈRE
950, 12E AVENUE
GOR 1Z0

enfants et de celle, concomitante, de leurs résultats scolaires, le
Dr Fourestier met en place un minutieux processus d'évaluation
des expériences qu'il conduit à l'école Gambetta de Vanves. Ces
évaluations font apparaître l'ensemble des bénéfices que les élèves retirent de la pratique du mi-temps pédagogique et sportif.
Les améliorations morphologiques dont ils sont le siège sont
manifestes : gain en taille, poids, capacité pulmonaire, amélioration des attitudes par réduction des scolioses, cyphoses et autres
lordoses. La résistance des enfants est, d'autre part, accrue et ils
succombent moins aisément aux « petites maladies » qui les
guettent tout au long de l'année scolaire. Sur le plan psychique,
les enfants ayant fréquenté une classe à mi-temps sont, par
rapport à leurs camarades des classes-témoins, mieux assurés et
mieux équilibrés dans leur personnalité. Quant à leurs résultats
scolaires, ils sont au CEP et au BEPC nettement supérieurs à
ceux obtenus par les élèves des classes-témoins[7]. Le Dr Fourestier jubile. « Le mi-temps, écrit-il, est non seulement une scolarité de santé, de plénitude morale et probablement de plus-value
intellectuelle, mais encore une pédagogie pratiquée dans la joie
et le bonheur[8]. » Cette joie de vivre retrouvée par les enfants
des classes à mi-temps ne pouvait faire davantage plaisir au
Dr Fourestier, lui qui s'apitoyait à son arrivée à Vanves sur ces
élèves tristes qui « apprennent mal, comme soumis à une fatalité
sociale ».
    Les instances officielles ne tardent pas à avaliser les résultats
des expériences de Vanves. La Circulaire ministérielle du 1er
octobre 1953 précise :

> Après neuf mois de fonctionnement, les résultats obtenus par
> les élèves de la classe d'expérience ont été comparés à ceux de la
> classe parallèle soumise au régime traditionnel. On a pu enregistrer,

---

7. Cf. P. GIOLITTO, *Les Classes de neige et le tiers-temps pédagogique*,
PUF, Paris, 1970, p. 69.
8. *Recherches Universitaires, op. cit.*

dans tous les domaines, des améliorations sensibles et très nettement supérieures à celles de la classe normale, la taille des enfants s'est évidemment développée, tandis que l'on constatait une modification heureuse de la morphologie, une meilleure répartition des masses musculaires et une nette amélioration physiologique : périmètre thoracique accru, périmètre abdominal en régression. Les performances sportives diverses ont traduit une plus grande résistance à l'effort et un net développement de la valeur physique. Si l'on considère que les résultats aux examens de fin d'année et, notamment, au Certificat d'études primaires ont été au moins égaux à ceux des autres élèves, on peut affirmer que cette expérience a pleinement réussi.

L'enthousiasme du ministre A. Marie pouvait laisser penser qu'il était dans ses intentions de généraliser un système pédagogique aussi bénéfique pour les élèves. Il n'en fut rien ; et si les expériences de Vanves connurent de riches prolongements, ce ne fut pas à l'initiative des autorités ministérielles.

### Les prolongements des expériences de Vanves

Les expériences de mi-temps pédagogique et sportif réalisées à Vanves par le D$^r$ Fourestier ouvrent la voie à toute une série d'innovations dont les classes de nature constituent le plus beau fleuron.

La présentation, en 1952, à l'Académie de médecine, par le professeur Tanon, du bilan de la première expérience de Vanves contribue à asseoir la réputation du D$^r$ Fourestier et à diffuser les résultats de ses recherches. Ce qui incite le bouillant médecin à aller de l'avant. En 1953, il « invente » les classes de neige, en 1957 celles de sieste et en 1959 celles de forêt. D'autres novateurs prennent le relais. Les classes de mer naissent en 1964, à l'imitation des classes de neige. Quant aux classes vertes, issues des classes de forêt du D$^r$ Fourestier, elles font leur apparition entre 1964 et 1968. Toutes ces réalisations ne vont cependant pas sans tâtonnements multiples. Chacune d'elles est en effet précédée d'une pulvérulence d'expériences qui diversifient jusqu'à la rendre méconnaissable la formule, bientôt d'ailleurs dépassée, du mi-temps pédagogique et sportif. Quant aux pouvoirs publics, ils ne se saisissent que tardivement du problème, s'efforçant alors de canaliser et de réglementer un mouvement en passe de leur échapper.

La Circulaire du 1er octobre 1953, après avoir accordé l'estampille officielle aux résultats des expériences de Vanves, rappelle que « la pratique rationnelle des activités physiques et sportives dans le milieu scolaire exerce une influence bienfaisante non seulement sur le développement corporel mais sur la formation intellectuelle ». En conséquence de quoi, le ministre, sans aller jusqu'à proposer une généralisation du mi-temps, demande aux Recteurs « d'étudier la possibilité de réaliser une expérience semblable » dans leurs académies. Ce ballon d'essai lancé, le ministère se tait jusqu'en 1957. Lorsqu'il intervient à nouveau, c'est pour « faire entrer dans la légalité »[9] et tenter de « donner un statut » aux multiples écoles expérimentales qui ont proliféré depuis les années cinquante, s'ouvrant parfois « clandestinement », menant « une existence précaire et contestée », et dont la création a été motivée par les « progrès de la psychologie et de la pédagogie et la nécessité d'adapter l'enseignement à un monde et une société en perpétuelle évolution ».

Dans le but de régulariser ces situations diverses, le ministre fait savoir qu'il est prêt à créer des écoles ou des classes expérimentales « destinées à permettre l'étude et la mise en application de techniques pédagogiques », pour peu que les collectivités locales ou les autorités académiques en fassent la demande. Le mi-temps sous sa forme classique, tel qu'il a été expérimenté à Vanves, ne parvient cependant pas, malgré les encouragements ministériels, à connaître un développement important. Il est, par contre, relayé très tôt par l'une de ses formes particulières, les

---

9. Cf. arrêté du 1er août 1957.

classes de neige, qui connaissent d'emblée une extension considérable. Dans les écoles elles-mêmes, c'est le tiers-temps et non le mi-temps qui, à partir de 1969, s'installe progressivement.

Dans le second degré, les expériences tendant à assurer un meilleur équilibre entre activités physiques et activités intellectuelles sont tardives, et elles ne connaîtront jamais un très grand développement. Ce n'est que le 10 août 1960 qu'une circulaire ministérielle suggère que des initiatives soient prises en vue d'« aménager les horaires scolaires afin de donner une meilleure place aux activités physiques ». Ces « horaires aménagés », ainsi qu'on les appelle habituellement, constituent une « expérience modeste », accordant aux élèves quatre séances par semaine d'éducation physique et une demi-journée de plein air obligatoire, doublée d'une autre, facultative, et située le jeudi. A cela s'ajoute, innovation intéressante, trois heures d'études dirigées destinées à permettre à l'élève de « rédiger tout son travail écrit dans l'établissement ». En 1960-1961, dix-sept classes de sixième seulement bénéficient des horaires aménagés, dans cinq établissements du second degré. Ces chiffres passent à quarante-quatre et vingt-trois l'année suivante.

Les horaires aménagés constituent une sorte de préambule à l'introduction du mi-temps pédagogique et sportif dans les établissements du second degré. Celle-ci intervient, de manière là encore très modeste, en janvier 1961 et elle ne concerne que deux classes de sixième du lycée de Vitry-le-François[10]. Conçues sur le modèle de l'expérimentation de Vanves, les expériences de mi-temps dans le second degré rassemblent les activités intellectuelles le matin, réservant les après-midi aux activités physiques, lesquelles comprennent douze heures hebdomadaires réparties en trois séances courtes d'une heure, deux séances longues de trois heures, plus une troisième séance longue de trois heures le jeudi. Une sieste et un goûter sont en outre

_____

10. Cf. Circulaire du 4 juillet 1961.

obligatoirement accordés aux élèves, lesquels sont par ailleurs soumis à un contrôle médical rigoureux.

L'objectif du ministère était de « tendre à une extension progressive des régimes d'expériences (mi-temps pédagogique et sportif ou horaires aménagés) à l'ensemble des classes du cycle d'observation », avant de les élargir au second cycle. C'était donc bien le second degré tout entier qui devait un jour vivre au rythme des horaires aménagés ou du mi-temps. Nous savons qu'il n'en fut jamais ainsi, malgré les recommandations de la Commission de rénovation pédagogique instituée à la suite du « Mouvement » de mai 1968.

### Le tiers-temps relaie le mi-temps

Si le mi-temps pédagogique et sportif, dans le moule duquel devait se couler la première génération de classes de neige, a eu le mérite de redonner au corps la place qui lui revient dans l'éducation, il n'a par contre pas su intégrer l'éducation physique à l'ensemble des autres activités scolaires. La culture du corps a, en effet, été conçue comme une activité autonome ayant sa propre finalité et ses propres méthodes. La journée scolaire s'est ainsi trouvée morcelée en deux unités distinctes, ce qui ne pouvait être que fort dommageable au regard d'une conception globale et unitaire de l'enseignement.

La seconde lacune manifestée par le mi-temps réside dans l'indifférence dont il a toujours fait preuve à l'égard d'une rénovation des méthodes pédagogiques. Nous avons vu qu'à Vanves il s'accompagnait même plutôt d'une régression en ce domaine.

Ce mi-temps figé, stéréotypé et simpliste : travail scolaire le matin, sport et jeux l'après-midi, évolue, à partir de 1968 surtout, au point de se transformer de l'intérieur pour devenir, même si l'appellation d'origine subsiste, un tiers-temps véritable. Le ton est donné par le ministre de l'Éducation nationale lui-même, M. Edgar Faure, lorsqu'il précise, dans une déclaration au Sénat datée du 24 octobre 1968, que dans les classes à mi-temps, « la matinée (est) réservée aux enseignements nécessaires, essentiellement le français et le calcul, et l'après-midi aux disciplines d'éveil, au sport, à la culture artistique, à l'histoire, à la géographie, aux autres disciplines classées dans cette catégorie ». Ainsi se trouvent évoqués les trois groupes d'activités entre lesquelles se partage, dans le tiers-temps pédagogique, la journée scolaire : les langages fondamentaux : parler, lire, écrire, compter, qui permettent aux enfants de s'exprimer et de communiquer ; les activités d'éveil, qui développent les facultés d'observation, de réflexion et de jugement des enfants, qui leur permettent de comprendre le monde dans lequel ils vivent en même temps qu'elles les ouvrent à l'art et suscitent leur créativité ; les activités physiques enfin, qui donnent à l'enfant la maîtrise de son corps et lui assurent un bon équilibre psycho-moteur.

L'essence du tiers-temps ne réside cependant pas dans une organisation particulière de la journée scolaire, en fonction des trois grands secteurs d'activités que nous venons d'énumérer : disciplines de base le matin, activités d'éveil et éducation physique l'après-midi. Son originalité propre se situe plutôt dans le soutien réciproque que se portent ces trois groupes d'activités, dans le lien permanent qui les unit, bref, dans ce que l'on a pris l'habitude d'appeler la pluridisciplinarité.

Le département du Nord a été le premier à expérimenter, en 1968-1969, dans quelque cinq cents classes primaires, le système nouveau du tiers-temps pédagogique, en consacrant quinze heures hebdomadaires aux disciplines fondamentales, sept heures trente aux activités d'éveil à dominante intellectuelle et artistique et sept heures trente à l'éducation physique.

L'Arrêté du 7 août 1969 prévoit, théoriquement du moins, la généralisation du tiers-temps pédagogique à toutes les écoles élémentaires de France. Cet arrêté présente pour notre sujet

une importance extrême puisqu'il met en place la structure pédagogique que devait utiliser la seconde génération de classes de
neige, ainsi que les classes de mer et les classes vertes.

La Circulaire du 2 septembre 1969 explicite ainsi la mise en
place du tiers-temps pédagogique :

> L'arrêté définit de grandes masses temporelles pour l'enseigne-
> ment des disciplines et il accroît la part qui revient à l'éducation
> physique et sportive. Il insiste également sur l'importance des disci-
> plines fondamentales (français et calcul) qu'il conseille d'enseigner le
> matin de préférence. Il tend à placer l'après-midi les disciplines
> d'éveil de même que les activités physiques et sportives. Ce faisant,
> il présente un nouvel horizon conforme aux vœux de la Commission
> ministérielle de rénovation pédagogique [11].

L'arrêté instituant le tiers-temps ne prétend cependant pas
imposer, de manière hâtive et autoritaire, une nouvelle organisation de l'école élémentaire. Il se propose simplement d'« en-
gendrer le mouvement », son ambition étant d'ouvrir la voie à
une « transformation graduelle de l'enseignement pré-scolaire et
élémentaire » [12]. Quant aux « classes transplantées », l'arrêté du
7 août 1969 leur ouvre un horizon nouveau, en mettant à leur
disposition une structure pédagogique particulièrement souple et
adaptée qui devait leur permettre de dépasser le stade de la
classe « sportive », ou « de santé », pour accéder à celui d'une
entreprise originale d'éducation globale.

---

11. Rappelons la manière dont s'établit, d'après l'arrêté du 7 août 1969, la
répartition des 27 heures de scolarité hebdomadaire : français, 10 h. ; — calcul, 5
h. ; — disciplines d'éveil, 6 h. ; — éducation physique et sportive, 6 h.
12. Cf. Circulaire du 2 décembre 1969.

### Une forme originale de mi-temps pédagogique :
### les classes de neige

Les classes de neige, « inventées » en 1953 par le D^r Fourestier, ne sont, à leur origine, qu'une variante hivernale du mi-temps pédagogique et sportif expérimenté à Vanves. Soucieux, en effet, de mettre à la disposition des petits banlieusards de Vanves « l'immense stade enneigé des montagnes de France », le père du mi-temps organise, en janvier 1953, la première classe de neige française, en faisant vivre un mois durant trente-deux élèves de la classe de fin d'études primaires de l'école Gambetta sur le plateau de la Feclaz, en Savoie, à 1.400 m d'altitude.

Le succès remporté par cette première classe de neige est total. Le séjour à la montagne et la pratique du ski améliorent de manière notable la santé des enfants. Ceux-ci font, en outre, l'apprentissage de la vie communautaire, ce qui se traduit chez nombre d'entre eux par d'incontestables améliorations caractérielles. Quant à leurs résultats scolaires, ils ne pâtissent en aucune manière de leur séjour en montagne. Le rapport établi par le Haut-Commissariat à la Jeunesse et aux Sports signale que, « stimulés par la récréation que constituaient les séances de ski, les enfants ont apporté aux activités intellectuelles autant d'effort qu'aux exercices physiques pratiqués avec une véritable passion ». La Circulaire André Marie établit, le 1^er octobre 1953, un constat tout aussi positif : « Les résultats, tant pédagogiques que physiques et éducatifs, écrit le ministre, ont été remarquables ; non seulement ce séjour à la montagne a favorisé le développement corporel des enfants mais, par voie de conséquence, amélioré le rendement dans le domaine intellectuel. »

La classe de neige de Vanves fait rapidement tâche d'huile. Les communes de la banlieue parisienne sont les premières, pour des raisons électorales parfois, à suivre l'exemple de leur voisine. En 1956, la province s'insère dans le mouvement et trois à quatre mille enfants se rendent en classes de neige. Sur le plan pédagogique, ces premières classes de neige mettent en œuvre les principes chers au D$^r$ Fourestier visant à « concentrer » et à « rentabiliser » l'enseignement. Les classes de neige constituent ainsi, au vrai sens du terme, des classes « transplantées », soit des classes qui pratiquent dans un milieu nouveau, et quel milieu, le milieu montagnard ! une pédagogie rigoureusement identique à celle pratiquée en ville. Le temps nécessaire aux séances de ski impose, en effet, qu'on se limite strictement aux disciplines fondamentales, qu'on n'ait cure des activités d'éveil et qu'on ne se soucie guère du milieu, pourtant particulièrement « motivant », dans lequel évoluent les élèves. Fonctionnant sur les bases d'un mi-temps rigoureux, les classes de neige font du calcul et du français le matin, du ski l'après-midi, soumettant ainsi les enfants à une dichotomie qui dévalorise à leurs yeux le travail scolaire au profit de la pratique du ski.

Ce manque d'ouverture pédagogique n'empêche pas la progression des classes de neige de s'accentuer. En 1961, 17.000 enfants représentant 567 classes se rendent à la montagne. Ils sont 86.000, dix ans plus tard. En 1974-1975, 116.500 enfants bénéficient d'une classe de neige. Ce nombre est porté à 118.370 en 1975-1976 (voir fig. 1). Le département de la Haute-Savoie, premier département français d'accueil, héberge, pour le seul enseignement public, 315 classes de neige, soit 9.753 élèves en 1964-1965 ; 643 classes (18.300 élèves) cinq ans plus tard (1968-1969) ; 1.310 classes (34.701 élèves) en 1973-1974 et enfin 1.496 classes (39.147 élèves) en 1975-1976. Le taux d'accroissement des classes de neige dans ce département est, certaines années, de 36,61 % (1967-1968) et, parfois même, de 37,24 % (1970-1971).

Dès avant 1968, la seconde génération de classes de neige prend conscience de l'impasse dans laquelle l'enferme le mi-temps. Abandonnant une défroque prestigieuse mais dépassée, les classes de neige optent pour le tiers-temps, s'efforçant ainsi d'unifier les diverses activités proposées aux élèves, le milieu

ÉVOLUTION DES CLASSES DE NEIGE

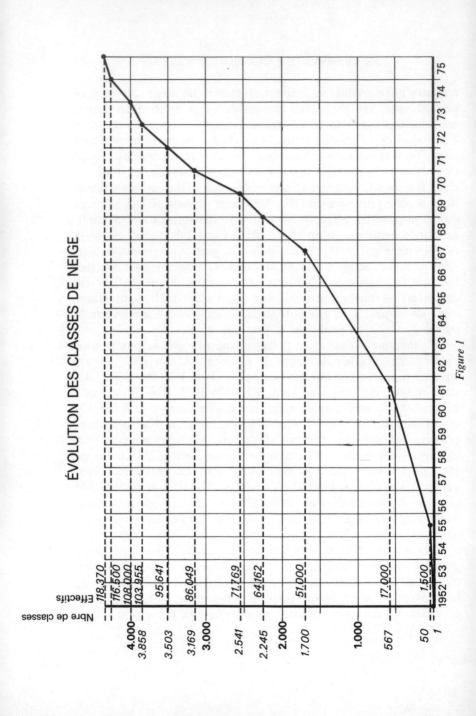

Figure I

montagnard et la pratique du ski jouant le rôle de catalyseur.
Face à un tel raz de marée, les pouvoirs publics se devaient
d'intervenir. Ils sont cependant lents à se manifester. La première circulaire d'importance consacrée aux classes de neige
émane du Haut-Commissariat à la Jeunesse et aux Sports et voit
le jour le 21 mars 1961. Elle se propose d'éviter le renouvelle-
ment de « certains errements » qui se sont manifestés à l'occasion de la mise en place des classes de neige, en rappelant « les
principes qui sont à la base de l'organisation » de ces classes,
surtout d'ailleurs en ce qui concerne « l'attribution des subventions ». Après avoir défini les classes de neige, la Circulaire de
1961 précise les conditions de leur fonctionnement, signalant
notamment que leur initiative appartient aux collectivités locales, en accord avec les autorités académiques, et que le Recteur,
par le biais du Service académique de la Jeunesse et des Sports,
doit les approuver.

La Circulaire du 4 janvier 1963 n'apporte que peu d'éléments
nouveaux par rapport à celle de 1961. Elle fait état du « développement considérable connu depuis quelques années par les
classes de neige » et des « très heureux résultats » dont elles ont
fait preuve. Le Haut-Commissaire à la Jeunesse et aux Sports
signale cependant que « diverses imperfections d'organisation et
de fonctionnement » rendent nécessaire « l'élaboration d'une
réglementation précise », laquelle « sera établie ultérieure-
ment ». Pour l'instant, le texte ministériel se contente de préciser les conditions d'attribution de la subvention de l'État, en
même temps qu'elle organise le recensement des classes de
neige existantes.

La Circulaire du 29 octobre 1963, émanant du Secrétariat
d'État à la Jeunesse et aux Sports, constitue, dix ans après la
première classe de neige, la véritable charte de ces classes, car
elle rassemble et complète la réglementation les concernant.
Après avoir, une nouvelle fois, défini les classes de neige, cette
circulaire précise les conditions de leur création, de leur fonc-

tionnement matériel (effectif, locaux, prospection des lieux d'accueil), de leur encadrement et de leur contrôle, ainsi que les modalités d'attribution de la subvention de l'État. A ce texte de base, s'ajoute la Circulaire du 27 novembre 1964, commune au ministère de l'Éducation nationale et au Secrétariat d'État à la Jeunesse et aux Sports, qui rappelle la réglementation des classes de neige et la complète à propos de leur encadrement et de leur contrôle.

Ainsi, après avoir semblé, huit ans durant, ne pas se préoccuper du phénomène « classes de neige », les autorités ministérielles élaborent, entre 1961 et 1964, une législation relativement complète et cohérente qui situe très précisément ces classes dans le contexte de notre système éducatif. Nous aurons l'occasion de préciser le rôle et le fonctionnement des classes de neige, tels qu'ils sont prévus par ces différents textes officiels.

Le succès remporté par les classes de neige, le besoin d'évasion manifesté par les maîtres et les élèves des écoles urbaines, ainsi que le souhait formulé par de nombreux enseignants de voir réalisées les conditions d'une véritable rénovation pédagogique, conduisent à la mise en place, à partir des années soixante, d'une très grande variété de « classes transplantées ». La Circulaire du 14 novembre 1968 attire l'attention sur ce phénomène :

> Tandis que les classes de neige se développent de façon continue depuis dix ans, de très nombreuses initiatives apparaissent actuellement en vue d'étendre cette expérience de mi-temps pédagogique à toutes sortes de réalisations d'inspiration similaire : classes d'air pur, classes vertes, classes de montagne, classes de mer, classes de soleil, classes d'altitude, etc.

Sur le plan pédagogique, ces différentes « classes de nature » tirent les leçons de la première génération de classes de neige et, loin de s'enfermer dans la structure close du mi-temps, font d'emblée appel au tiers-temps. Le législateur leur assigne d'ailleurs une finalité beaucoup plus large que celle qu'il proposait aux classes de neige. Ces classes doivent, en effet, selon la Circulaire du 6 mai 1971, « contribuer à l'épanouissement physique et psychique des enfants par la cure de santé qu'elles procurent, par l'activité intense qu'elles suscitent, par une plus large ouverture sur 'la vie' et par la modification des rapports adultes-enfants qu'elles créent ». Le texte ministériel précise ensuite que ces classes doivent vivre au rythme « du tiers-temps et de l'éducation permanente » et que le « milieu » doit être « le centre privilégié de toutes les activités : disciplines de base, activités d'éveil, activités physiques ».

## La naissance et le développement des classes de mer

A l'origine des classes de mer, parfois encore appelées classes d'iode, l'enthousiasme et l'esprit militant de quatre retraités de l'Éducation nationale et de l'Inscription maritime qui ambitionnent de sauver par le tourisme une région qui se meurt et qu'ils aiment passionnément : le Finistère. Le seul moyen, selon eux, d'implanter solidement le tourisme en Bretagne est de revaloriser la navigation à voile, condamnée par l'évolution technique au profit du moteur. La voile, symbole de l'océan, constitue pour ces hommes un merveilleux instrument de formation et de découverte susceptible de redonner aux jeunes Bretons le goût de la mer et de contrebalancer pour les touristes français la séduction des sports d'hiver.

Convaincus que « la mer, c'est notre neige », nos quatre pionniers décident, en 1962, de construire un bâtiment d'accueil pour une école de voile fonctionnant durant les vacances. Leur choix se porte sur un terrain appartenant au domaine maritime, situé à Moulin-Mer, sur la commune de Logonna Daoulas, au fond de la rade de Brest, à mi-chemin entre Brest et Quimper, près d'un ancien moulin à marée qui a donné son nom au lieu-dit.

Grâce à une modique subvention de « Jeunesse et Sports » et du Conseil général du Finistère, grâce aussi à la contribution des élèves du CET du bâtiment de Brest qui en font leur « chantier d'application », la construction du futur centre nautique va bon train, dans « la mendicité et la récupération ». Un instituteur, Jacques Kerhoas, « solide comme le granit breton, à la fois bon maître et bon marin [13] », met la main à la pâte. Fervent admirateur des classes de neige et partisan convaincu du mi-temps pédagogique, ce professeur de CEG ambitionne de faire profiter les petits Bretons des avantages de leur richesse naturelle, la mer, en organisant des classes de mer sur le modèle des classes de neige. Cette idée paraît d'autant plus intéressante aux promoteurs du centre de vacances de Moulin-Mer, que sa réalisation présenterait l'avantage de ne pas laisser celui-ci inoccupé durant la période scolaire. Ayant obtenu l'accord de l'Inspecteur d'académie en résidence à Quimper et du Recteur de Rennes, J. Kerhoas installe, en 1964, au Centre nautique de Moulin-Mer, pour deux séjours successifs de quinze jours, les deux premières classes de mer françaises. L'une concerne vingt-neuf élèves maçons et plâtriers du CET de Brest (qui mettent, le matin, la dernière main à la terminaison du bâtiment) et l'autre vingt-quatre garçons de CM2 du groupe scolaire de Lanrédec à Brest.

L'initiative bretonne fait rapidement école. En 1965, des classes de mer fonctionnent dans l'Hérault, la Vendée, ailleurs encore. Mais c'est en Bretagne que, très rapidement, le mouvement prend de l'ampleur et s'organise. En 1966, une Association se met en place, groupant les corps constitués du département du Finistère et financée par le Conseil Général, dans le but de promouvoir le développement des classes de mer. Ayant à sa tête l'inventeur des classes de mer, J. Kerhoas, et devenue une émanation du Comité départemental pour l'aménagement du Finistère (CODAF), l'Association, finistérienne pour le dévelop-

---

13. Jean DE ROSIÈRE, « La classe de mer », dans *L'Éducation*, 17 oct. 1968.

pement des classes de mer (AFDCM) se propose de susciter la création de classes de mer, d'aider à leur organisation (administration, gestion, pédagogie), de recruter et former leurs cadres, de leur fournir du matériel nautique et de la documentation sur le milieu local, de gérer enfin et faire fonctionner par ses propres moyens les centres permanents. L'Association se veut aussi structure de communication entre les responsables départementaux de l'Éducation nationale et les instances économiques. Elle entend, en effet, doubler son rôle pédagogique d'un rôle économique et promotionnel[14]. Son but est d'aider au développement économique et culturel du Finistère, en faisant connaître la région et en y attirant des touristes.

De 1966 à 1971, les classes de mer se développent dans le Finistère de manière quasi clandestine, avec le seul appui du Recteur de l'académie. A partir de 1967, le Finistère commence à accueillir des classes étrangères au département. Deux classes de fin d'études de Châtillon-sous-Bagneux viennent séjourner au centre de Moulin-Mer. Cette même année, les Côtes-du-Nord se lancent dans l'aventure. Deux classes de garçons du 18e arrondissement de Paris se rendent en classes de mer à Saint-Malo. En 1969, le Centre de Moulin-Mer accueille des classes franco-allemandes. Cette même année, trente-neuf classes séjournent au centre de Moulin-Mer. Elles sont soixante l'année suivante. Mais déjà les classes de mer gagnent les Côtes-du-Nord, le Morbihan, se disséminent le long de la Manche et de l'Atlantique, jusqu'à Socoa, à l'extrémité de la baie de Saint-Jean-de-Luz. En 1970, 200 classes se rendent à la mer, dont 119 en Bretagne. En 1971, les classes de mer connaissent un essor exceptionnel. Le Morbihan en accueille 90, le Finistère 70. En 1972, 461 classes, représentant quelque 12.500 élèves, vont

---

14. Signalons, à ce propos, le voyage de presse organisé les 19 et 20 mars 1975 par l'Association dans le but de présenter officiellement ses innovations pédagogiques.

séjourner à la mer, utilisant notamment 14 centres permanents. En 1973-1974, 3.909 enfants et 115 maîtres vont en classes de mer en Bretagne. L'effectif total des classes de mer françaises représente, cette année-là, 20.140 élèves (voir fig. 2).

Les autorités ministérielles ignorent longtemps les classes de mer, de même qu'elles avaient ignoré les classes de neige. En 1967, seules deux lettres du ministre de l'Éducation nationale au Recteur de l'académie de Rennes « officialisent » l'institution. Le ministère se montre réticent à l'égard d'une aventure qui lui paraît sans lendemain. Le 26 mai 1967, le ministre demande d'ailleurs à l'Inspecteur d'académie de Rennes « de bien vouloir en limiter strictement le nombre [des classes de mer] afin d'en pousser l'étude aussi précisément que possible ». Face à l'inertie ministérielle, l'Inspecteur d'académie du Finistère établit, sous sa seule responsabilité, un règlement départemental inspiré de celui des classes de neige. Possédant ainsi un embryon de législation, les classes de mer peuvent continuer leur progression.

L'intérêt de ce type de classes se fait cependant peu à peu jour au niveau ministériel. Le 14 novembre 1968, une circulaire officielle mentionne pour la première fois les classes de mer, se contentant d'ailleurs de signaler qu'« une très grande liberté d'appréciation est laissée à Messieurs les Inspecteurs d'académie », pour autoriser, « de leur propre chef », ce type de classes, « sous réserve que l'association ou la collectivité organisatrice assume intégralement la charge financière correspondante » et obtienne « l'approbation de l'autorité académique sur le plan technique et pédagogique ». Quant à la finalité de ces classes, le ministère la conçoit d'emblée plus large que celle des classes de neige. Il ne s'agit, en effet, non plus seulement pour les enfants d'une cure de santé, mais d'« une prise de contact direct avec la nature ».

Autorisées — à défaut d'être financées — par les autorités ministérielles, les classes de mer voient leur développement

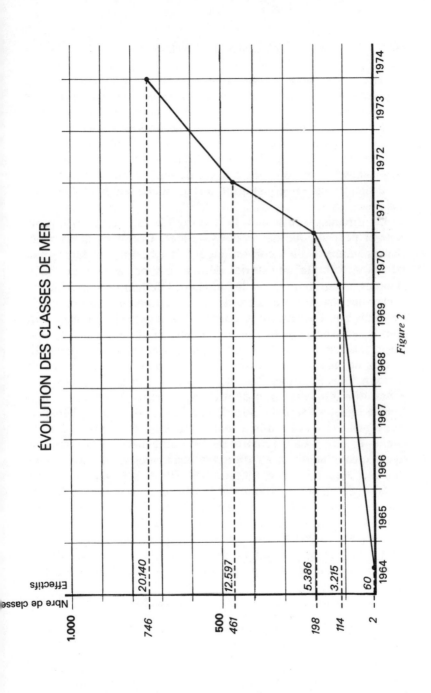

ÉVOLUTION DES CLASSES DE MER

Figure 2

s'accroître de manière importante, en liaison d'ailleurs avec le Mouvement de rénovation pédagogique issu de mai 1968. Le ministère se sent contraint d'intervenir à nouveau. En juin 1970, il fait inscrire, dans la série des cent mesures de protection de la nature, deux classes de mer « pilotes » en... Loire-Atlantique et en Charente-Maritime. Tout en se réjouissant de cette mesure, les promoteurs bretons des classes de mer manifestent une certaine amertume en constatant qu'on oublie en haut lieu leur région.

La Circulaire du 6 mai 1971 constitue la charte institutionnelle et pédagogique des classes de mer. Déclarant qu'avec les classes vertes « elles correspondent aux besoins pédagogiques actuels », le texte ministériel définit ce type de classes transplantées, avant de préciser les modalités de leur organisation sur le plan des structures d'accueil, de l'encadrement et du contrôle. Le ministère « volant au secours de la réussite [15] » fait ensuite pour les classes de mer ce qu'il n'a jamais fait pour les classes de neige. Il décide, en 1971, la création de « centres permanents de classes de mer et de classes vertes » dotés du matériel et du personnel nécessaires à l'accueil des élèves et de leurs maîtres. A vrai dire, en 1971, cinq centres permanents fonctionnent déjà dans le Finistère sous l'égide de la loi de 1901, grâce à l'Inspecteur d'académie qui a mis à leur disposition cinq postes d'instituteurs-adjoints. La Circulaire de 1971 officialise ces centres tout en en créant neuf autres dans les académies de Rennes et de Nantes. Durant l'année scolaire 1971-1972, six centres permanents fonctionnent donc dans le Finistère, quatre dans le Morbihan, deux dans la Loire-Atlantique et deux dans les Côtes-du-Nord. Un crédit de 350.000F (dont 210.000 F pour le Finistère, sur lesquels 15.000 F sont alloués à titre de « premier équipement » au centre permanent de Moulin-Mer en service depuis déjà six ans) est accordé pour l'amélioration de l'équipement de

---

15. « Les classes de mer », dans *Pédagogie, op. cit.*

ces centres. En 1975, dix-sept centres permanents fonctionnent, dotés d'un matériel pédagogique et humain adapté, tandis que cent quarante-sept centres non permanents offrent simplement le gîte aux classes de mer. A la rentrée de 1976, cinq nouveaux centres doivent être mis en place. Ces réalisations donnent à penser que le ministère, qui ne s'est jamais résolu à aider efficacement les classes de neige, ait décidé d'user d'une autre politique à l'égard des classes de mer.

Sur le plan pédagogique, les classes de mer, contrairement aux classes de neige, se situent presque dès l'origine dans l'optique d'une pédagogie rénovée. Après avoir, en effet, démarré à l'image des classes de neige, au rythme du mi-temps : classe le matin, sports nautiques l'après-midi, elles en viennent très rapidement à utiliser un tiers-temps particulièrement souple, susceptible de s'adapter au rythme changeant des marées. L'académie de Rennes se soucie, par ailleurs, très vite d'apporter une solution à tous les problèmes relatifs à l'encadrement et à la pédagogie des classes de mer. Celles-ci sont donc très tôt l'objet d'une réflexion pédagogique qui a toujours manqué aux classes de neige[16].

Bien que plus récentes et moins nombreuses que les classes de neige, les classes de mer ont donc su acquérir, par rapport à leurs sœurs aînées, une originalité qui leur est propre. Plus « pédagogiques », davantage axées sur l'étude du milieu, elles « cessent peu à peu d'être les jeunes sœurs des classes de neige et elles s'affirment non pas face à celles-ci mais différentes de celles-ci[17] ».

---

16. Cette réflexion pédagogique a été conduite au cours de nombreuses réunions et colloques dont celui organisé par le Recteur de Rennes, en mai 1971, à l'École nationale de voile de Beg-Rohu à Quiberon, qui a réuni quatre-vingts personnes de l'Éducation nationale et de Jeunesse et Sports. Les principes essentiels de la pédagogie applicable aux classes de mer figurent dans un fascicule intitulé *Pédagogie des classes de mer,* publié par le CRDP de Rennes.
17. *Pédagogie des classes de mer,* CRDP de Rennes.

## Les classes vertes complètent la panoplie des classes de nature

A la différence des classes de neige et des classes de mer, les classes vertes, auxquelles est parfois réservée l'appellation de « classes de nature », ne se centrent pas sur la pratique d'un sport particulier. Sans négliger l'activité physique, elles accordent la priorité à la découverte de la nature ainsi qu'à la prise de conscience des phénomènes de groupe. C'est dire que leurs visées éducatives sont plus affirmées encore que celles de leurs consœurs fonctionnant à la neige ou à la mer.

Bien qu'apparues plus tardivement, les classes vertes connaissent sans doute des origines beaucoup plus lointaines que les autres classes de nature. Inspirées des *Field Centers* anglo-saxons, elles trouvent leurs origines dans les diverses tentatives réalisées en France par Freinet et ses disciples pour combler le hiatus qui sépare l'école de la nature et de la vie. Les premières initiatives, généralement individuelles et isolées, ne sont pas toutes connues et il est difficile d'en opérer le recensement. Quelques jalons peuvent cependant être plantés quant à l'historique des classes vertes.

Les premières d'entre elles semblent avoir vu le jour en 1945, au lendemain de la guerre. Ce qui n'exclut pas l'antériorité de certaines réalisations s'apparentant plus ou moins aux classes vertes. En 1955, les départements du Haut et du Bas-Rhin font fonctionner toute une série de classes vertes dont on s'inspirera un peu partout les années suivantes. En 1956, des « classes de soleil » sont mises en place au CREPS de Boulouris à l'intention d'enfants déficients sur le plan physique et cas sociaux de surcroît. En 1962, le département du Pas-de-Calais se signale par ses initiatives en la matière. En 1966, les caisses des écoles des 14e et 15e arrondissements de Paris organisent des « classes vertes de nàture » qui permettent aux petits Parisiens de prendre contact avec la Normandie, la Savoie ou, plus prosaïquement, la

Seine-et-Marne, tandis que des initiatives semblables permettent à des petits Lozériens de découvrir la Méditerranée.

Mais c'est à partir de 1968, et de la mise en place du tiers-temps pédagogique, que les classes vertes prennent, sous des appellations diverses, leur véritable essor. Ce type de classes se révèle, en effet, être le seul, dans notre système éducatif, à permettre dans de bonnes conditions le fonctionnement d'un tiers-temps authentique. L'année 1970 communique un nouvel élan aux classes vertes, avec la sensibilisation générale qui se manifeste alors à l'égard des problèmes de protection de la nature. Les classes vertes, dont l'objectif est un contact éclairé avec le milieu naturel, apparaissent comme un élément de choix dans la stratégie globale de défense de l'environnement que les autorités se proposent de mettre en place. Plus récemment enfin, certains novateurs, estimant que les classes vertes ne peuvent être pleinement profitables « sans la présence d'un vecteur d'animation particulier en harmonie avec l'étude de la nature »[18], ont imaginé les classes vertes d'équitation, dans lesquelles le cheval remplace le ski des classes de neige ou la voile des classes de mer. Le centre nautique de Moulin-Mer a été le premier à explorer cette voie nouvelle. En 1971, utilisant les chevaux et les moniteurs du centre équestre de Saint-Segal, il introduit l'équitation dans ses activités pédagogiques, mettant à profit la proximité du Parc d'Armorique et la richesse de la vie rurale dans ce secteur de Bretagne. Cet exemple est bientôt suivi par l'Organisation centrale des centres de loisirs équestres permanents (OCCLEP) qui, avec l'aide des ministères de l'Agriculture et de l'Éducation, ainsi que du Commissariat général au Tourisme, met en place en 1974 des Centres de loisirs équestres permanents destinés à recevoir des classes vertes d'équitation. Ainsi, le centre d'Aynac dans le Lot, a accueilli, entre mai 1974

---

18. Voir *L'Équitation comme facteur d'animation des classes vertes*, OC-CLEP, 74, avenue Garibaldi, 87000 Limoges.

et mai 1975, quelque 625 enfants en provenance de la région parisienne, appartenant à 27 classes de CM1, CM2 ou de perfectionnement.

Bien qu'elles n'en soient encore qu'à leur balbutiement, les classes d'équitation n'en sont pas moins déjà controversées, certains n'estimant pas souhaitable de chercher à tout prix des « attractions » susceptibles d'apporter aux classes vertes un « piment supplémentaire »[19]. D'autres craignent que ces classes créent chez les enfants des besoins onéreux qu'ils ne seront pas en mesure de satisfaire. D'autres enfin contestent l'appui officiel, y compris financier, dont bénéficient les classes d'équitation, regrettant que l'aide de l'État aille à l'original, voire à l'insolite, et néglige ce qui est à la portée de tout un chacun. « La nature toute simple ne plaît pas ! » constate, désabusé, Pierre Moulinier.

Quelle que soit la forme qu'elles revêtent, les classes vertes sont actuellement en pleine progression, encore que la diversité des initiatives et l'absence de statistiques officielles rendent les évaluations difficiles (voir fig. 3). Beaucoup moins anciennes que les autres classes de nature, les classes vertes, malgré leur récent essor, se situent quantitativement encore fort loin des classes de mer et surtout des classes de neige. C'est ainsi qu'en 1973-1974, alors que 108.000 enfants ont fréquenté une classe de neige, 42.500 une classe de mer, 22.500 seulement se sont rendus en classes vertes, contre 20.000 l'année précédente[20].

Si l'on considère la progression des classes vertes dans le premier département d'accueil français, celui de la Haute-Savoie, on retrouve les grandes étapes du développement de ces classes au plan national. Ainsi, la Haute-Savoie a accueilli seulement 10 classes vertes (300 élèves) en 1964-1965. En 1967-

---

19. Cf. *Éducation et Développement,* n° 104, octobre 1975, p. 56.
20. Ces chiffres ne prennent en compte que les séjours avoisinant trois semaines. Or, de nombreuses classes vertes sont beaucoup plus brèves.

# ÉVOLUTION DES CLASSES VERTES

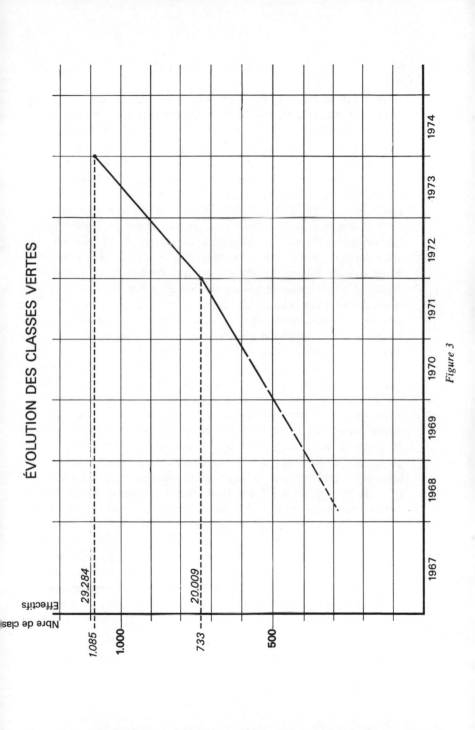

*Figure 3*

1968, c'est 48 classes, représentant 1.501 élèves, qui se rendent dans ce département. En 1969-1970, le nombre de classes atteint 75, soit 2.198 élèves. Il s'élève à 154 en 1973-1974 pour 3.675 élèves. En 1975-1976 enfin, 178 classes vertes viennent s'installer en Haute-Savoie, représentant quelque 4.160 élèves. Les taux de progression les plus élevés jalonnent les grandes étapes nationales du développement des classes vertes : + 60% en 1967-1968, + 59,57% en 1969-1970, + 83,33% en 1973-1974.

Les classes vertes font leur entrée dans la législation de l'Éducation nationale en 1968. La Circulaire du 14 novembre de cette année, après avoir constaté que le succès des classes de neige suscite « de très nombreuses initiatives (...) en vue d'étendre cette expérience de mi-temps pédagogique à toutes sortes de réalisations d'inspiration similaire », précise que ces classes ne peuvent être organisées que dans la mesure où « l'association ou la collectivité organisatrice assume intégralement la charge financière correspondante ». La Circulaire du 6 mai 1971, commune aux classes de mer et aux classes vertes, constate l'existence de ce type de classes, depuis quelques années, dans de nombreux départements, et fait part de l'intention ministérielle « de favoriser leur développement ». Toutefois, pour éviter « que celui-ci ne se fasse de façon anarchique », le texte officiel se propose de fixer, « de manière souple », les modalités d'organisation et de fonctionnement des classes vertes. Cette circulaire est complétée par celle du 29 septembre 1971 qui précise le type de pédagogie qu'il est souhaitable de pratiquer en classes vertes, en même temps qu'elle annonce la création de centres d'accueil permanents de classes de mer et de classes vertes. Les « classes vertes à dominante équitation » sont enfin l'objet d'une sollicitude particulière, puisqu'une circulaire spéciale leur est consacrée (26 juin 1972) qui attire l'attention des Inspecteurs d'académie sur les modalités pratiques de leur organisation.

On assiste donc, depuis les années cinquante, à la mise en place, de manière le plus souvent spontanée et sous l'effet d'initiatives locales, de tout un ensemble de « classes transplantées », centrées les unes sur la pratique de sports caractérisés : ski, voile, équitation, les autres sur la vie en communauté dans un milieu naturel et humain privilégié. Face à ce mouvement, né hors de son giron, le ministère de l'Éducation nationale est long à réagir. Lorsqu'il le fait, c'est pour faire entrer les classes de nature dans la légalité de notre système éducatif, en les soumettant à des normes de fonctionnement précises. N'étant cependant pas en mesure de supporter la charge financière que représenterait la prise en compte des classes transplantées, le ministère éprouve quelques difficultés à faire appliquer la législation que les circonstances l'ont contraint à mettre en place. D'où l'extrême variété actuelle des réalisations entrant dans le cadre général de ce qu'il est convenu d'appeler les classes de nature.

## CHAPITRE III

## LES DIFFÉRENTS TYPES DE CLASSES DE NATURE

L'expression « classes de nature » s'applique, nous l'avons vu, aux trois grandes catégories de « classes transplantées » qui existent actuellement : les classes de neige, les classes de mer et les classes vertes. Chacun cependant de ces trois ensembles se subdivise en un nombre important de sous-ensembles, en fonction des objectifs poursuivis, de l'appartenance scolaire des élèves et de la durée du séjour. Après avoir rappelé la définition officielle des trois principaux types de classes de nature, nous nous efforcerons de cerner les plus caractéristiques de leurs variétés particulières.

### Les classes de neige

Les classes de neige sont définies par la Circulaire du 21 mars 1961 comme « des classes expérimentales » entrant dans le cadre du mi-temps pédagogique, et dont la mission est d'étudier « l'introduction dans les programmes scolaires d'une plus grande part d'activité physique en plein air ». Ces classes sont des « classes normales de l'enseignement du premier degré envoyées exceptionnellement en montagne telles qu'elles ont été constituées à la rentrée d'octobre : mêmes maîtres et mêmes élèves ». Le séjour à la neige dure un mois au cours duquel le « programme officiel » de la classe est étudié tandis qu'une demi-journée quotidienne est consacrée à la pratique du ski. La Circulaire du 4 janvier 1963 insiste, elle aussi, sur le caractère expérimental des classes de neige en soulignant qu'elles constituent « une forme originale et limitée dans le temps, des classes expérimentales à mi-temps pédagogique et sportif ». Les classes de neige ayant pour origine des classes fonctionnant à mi-temps sont d'ailleurs prioritaires pour l'obtention d'une subvention d'État. Cette définition des classes de neige est précisée, sans apport cependant d'éléments bien nouveaux, par la Circulaire du 29 octobre 1963, qui rappelle que les classes de neige sont constituées par des « classes normales de l'enseignement élémentaire du niveau du cours moyen et des classes actuelles de fin d'études ». Quant à la Circulaire du 27 novembre 1964, elle se contente de reprendre mot pour mot la définition donnée par celle de l'année précédente.

En 1968, la rigidité de la définition des classes de neige fournie par les textes officiels est quelque peu assouplie, du moins en ce qui concerne la durée de la classe et le niveau des élèves, ainsi qu'à propos de la règle imposant l'effectif complet de la classe avec son maître habituel. L'Inspecteur d'académie peut, en effet, désormais accorder des dérogations à la règle de durée (quatre semaines) et à celle relative au niveau des élèves (CM2 ou classes de fin d'études). Les classes bénéficiant de ces dérogations ne peuvent cependant prétendre aux subventions d'État. D'autre part, des élèves appartenant à une classe désignée pour effectuer un séjour à la neige peuvent en être dispensés par le chef d'établissement « lorsqu'ils ont une raison sérieuse de solliciter une dérogation »[1]. Enfin, un autre maître que leur maître habituel peut accompagner des élèves en classes de neige. La règle du « maître habituel » peut, en effet, être assouplie par l'Inspecteur d'académie, sur propositions du chef d'établissement, « lorsque le maître habituel a des raisons majeures de ne pas effectuer le déplacement ». Dans ce cas, une permutation est possible avec un autre maître, « afin d'éviter qu'une

---

1. Cf. Circulaire du 14 novembre 1968.

classe tout entière soit privée du séjour à la neige par suite de l'empêchement affectant son maître habituel ».

A l'heure actuelle, alors que la finalité des classes de neige, comme celle de toutes les classes de nature, est la prise de contact avec un milieu vivant et concret, alors que, sur le plan de leur vie pédagogique, elles en sont depuis longtemps à vivre au rythme du tiers-temps, alors enfin qu'elles tendent de plus en plus à constituer une structure normale de notre système éducatif, les classes de neige demeurent encore, de par leur législation, des classes « expérimentales », fonctionnant suivant le système du « mi-temps pédagogique et sportif » et dont la finalité unique est d'accroître les activités physiques des élèves. Il y a là un décalage entre le droit et le fait dont personne en haut lieu ne semble pour l'instant se soucier.

Après avoir fait preuve d'un « suivisme » regrettable par rapport aux premières réalisations, la législation des classes de neige se trouve donc singulièrement déphasée au regard des conceptions pédagogiques qui prévalent actuellement en ce domaine. Ne bénéficiant pas d'un statut pédagogique identique à celui des autres classes de nature, corsetées par une législation surannée, dotées d'une finalité étriquée et se référant à un système pédagogique dépassé, les classes de neige se voient immanquablement freinées dans leur évolution pédagogique. Loin de jouer un rôle moteur dans le progrès actuel des conceptions et des méthodes pédagogiques, à l'instar des autres classes de nature, il leur arrive parfois, au contraire, et de manière paradoxale, d'apparaître comme une force de résistance au changement.

Le corset réglementaire qui enserre les classes de neige — et qui sert de critère à l'attribution des subventions d'État — n'empêche cependant pas de nombreuses classes, en mesure de fonctionner sans ces subventions, d'expérimenter de multiples formules non prévues par le législateur. On joue parfois sur la durée du séjour, lequel peut varier de huit jours à un mois.

Fréquemment, c'est l'homogénéité de la classe qui n'est pas respectée. Bien qu'une telle formule soit critiquable sur le plan pédagogique, de nombreuses classes de neige sont, en effet, hétérogènes, rassemblant des élèves issus de classes, voire de groupes scolaires différents. Si, d'autre part, les classes de neige concernent essentiellement des élèves de CM1 et de CM2[2], les expériences réalisées avec des élèves de l'enseignement pré-scolaire ou du second degré sont loin de faire défaut. En ce qui concerne les classes pré-élémentaires, c'est Vanves, une fois de plus, qui a innové. La première classe de neige maternelle a, en effet, été organisée par la commune pionnière du mi-temps, en 1959 à Verchaix en Haute-Savoie. L'évaluation à laquelle a procédé le Dr Fourestier a montré que l'altitude n'était en rien contre-indiquée pour de jeunes enfants et que, pour peu que des précautions d'ordre médical soient prises et que l'encadrement soit adapté, il n'y avait aucun danger à désinsérer, un mois durant, des enfants de cinq à six ans de leur cellule familiale. L'exemple de Vanves a bien entendu été suivi, et les élèves d'âge pré-scolaire qui se rendent aujourd'hui en classes de neige ne constituent plus une exception[3].

L'enseignement spécial est, lui aussi, à l'origine d'un nombre relativement important de classes de neige. On a même vu des aveugles participer à une classe de neige et se comporter de manière presque normale sur les pistes[4]. Il existe enfin quelques exemples de classes de neige internationales dont l'intérêt sur le plan du rapprochement des peuples n'est pas à souligner[5].

---

2. En 1971, les 86.000 élèves qui se sont rendus en classes de neige se répartissaient ainsi : 32.000 élèves de CM1, 51.000 de CM2 et 3.000 de classes de fin d'études. En 1975-1976, la ventilation suivant l'origine scolaire des enfants ayant séjourné en classes de neige dans les Hautes-Alpes s'opérait de la manière suivante : CM2 : 10.638 ; CM1 : 5.178 ; perfectionnement : 1.259 ; CE1 et CE2 : 313 ; transition : 67 ; cours préparatoires : 55 ; maternelles : 53 ; divers : 114.

3. Voir *L'École maternelle française*, n° 3, nov. 1976.

4. Cf. *Comme les autres*, n° 29, 1971.

5. Voir *Hygiène par l'exemple*, n° 15, 1959, et *L'Éducation* du 1er mai 1969.

Quant à l'époque à laquelle ont habituellement lieu les classes de neige, elle se situe entre décembre et avril, la meilleure période s'étendant du 15 janvier au 15 mars, car c'est alors qu'existe la plus forte probabilité en faveur de la présence des deux facteurs qui conditionnent en partie la réussite d'une classe de neige : la neige et le soleil. Notons que cette période englobe les vacances de février, ce qui diminue d'autant la durée potentielle des classes de neige. Dans les faits, on assiste le plus souvent à deux vagues successives de classes se rendant à la neige, l'une du 10 janvier au 10 février, l'autre du 25 février au 25 mars[6]. Les classes de neige disposent donc d'une période de fonctionnement particulièrement courte, ce qui impose, entre autres nécessités, celle de promouvoir d'autres formules pour assurer le plein emploi des installations.

### Les classes de mer

Formuler une définition rigoureuse des classes de mer constitue une entreprise hasardeuse, compte tenu de l'absence de doctrine en la matière et de la variété des initiatives qui se sont manifestées jusqu'à ce jour. Tout au plus peut-on tenter une approche qu'on voudrait la moins grossière possible.

Si, comme les classes de neige, les classes de mer correspondent à « des classes normalement constituées[7] », partant avec leur effectif complet et leur maître habituel, elles peuvent, à la différence des classes de neige, concerner les trois ordres d'enseignement : pré-élémentaire, premier et second degré. Tirant sans doute les leçons des classes de neige, le législateur a, en effet, prévu pour les classes de mer un cadre réglementaire plus

---

6. Notons, à titre d'exemple, que dans le département des Hautes-Alpes, en 1975-1976, 78 classes ont effectué leur séjour en décembre, 219 en janvier, 151 en février, 230 en mars et 56 en avril.
7. Circulaire du 6 mai 1971.

large et plus souple. La principale souplesse concerne la durée du séjour. Alors que celle-ci est impérativement fixée à quatre semaines pour les classes de neige, elle est ramenée à trois semaines pour les classes de mer, avec possibilité pour les classes maternelles d'effectuer des séjours limités à deux semaines. Une circulaire en date du 24 juillet 1973 assouplit davantage encore cette réglementation. Ce texte précise que « si le séjour de trois semaines au minimum doit rester la règle pour l'enseignement élémentaire », il n'est pas possible de maintenir une telle clause en vigueur pour les classes du second degré — vers lesquelles les classes de mer et les classes vertes ambitionnent de s'ouvrir — celles-ci, mises à part les classes de transition, ne pouvant s'absenter aussi longtemps de leurs établissements. Ceux-ci ont donc la possibilité d'organiser des séjours à la mer beaucoup plus courts, mais « dont la durée cependant ne pourra être inférieure à une semaine ». Ce qui se justifie dans la mesure où la finalité des classes de mer ne se réduit plus à une « cure de santé », mais englobe l'appréhension d'un milieu nouveau générateur d'une pédagogie nouvelle. Les classes du Finistère ne séjournent d'ailleurs le plus souvent qu'une semaine à la mer, réservant l'exploitation des informations recueillies pour le retour, ce qui se conçoit d'autant mieux que ces classes ont la possibilité de revenir sur place compléter leur information.

Autre dérogation possible, celle concernant la règle de l'effectif complet et du maître habituel. Comme pour les classes de neige, un élève d'une classe désignée pour un séjour à la mer peut en être dispensé par l'Inspecteur départemental de l'éducation ou le chef d'établissement, « sur contre-indication médicale ou pour toutes autres raisons sérieuses ». Quant à la dérogation à la règle de la présence du « maître habituel », elle ne figure pas dans la circulaire constitutive des classes de mer (6 mai 1971), mais elle est généralement accordée par l'Inspecteur d'académie en référence à la circulaire du 14 novembre 1968 relative aux classes de neige.

Le terme « expérimental », on le voit, ne figure pas dans la définition officielle des classes de mer. De même que la référence au mi-temps pédagogique et sportif. C'est dire que l'objectif assigné par les textes officiels aux classes de mer n'est plus seulement, comme pour les classes de neige, la recherche d'un bénéfice sanitaire pour les élèves. La finalité qui leur est proposée est beaucoup plus large et plus ambitieuse. Sans négliger de procurer aux élèves « toutes les acquisitions d'une scolarité normale[8] », les classes de mer visent, en outre, leur « épanouissement physique et psychique » par le biais d'« une large ouverture (de l'école) sur 'la vie', et d'une modification des rapports adultes-enfants ». Les classes de mer se réfèrent, d'autre part, au tiers-temps et font de l'étude du milieu le dénominateur commun des disciplines instrumentales comme des activités d'éveil et des activités physiques. Ainsi définies, les classes de mer ont non seulement la possibilité d'évoluer de manière positive sur le plan pédagogique, mais elles peuvent, de plus, constituer un élément mutant pour l'ensemble de notre système scolaire.

Contrairement à ce qu'elle fait pour les classes de neige, la législation autorise, nous l'avons vu, toutes les catégories d'élèves à participer aux classes de mer. Les premières expériences de classes maternelles de mer ont eu lieu dans le Finistère et elles concernaient des classes proches de la côte de manière à éviter les trop longs déplacements. Les classes de mer sont également, au même titre que les classes de neige, particulièrement valorisantes pour les enfants inadaptés. Aussi l'enseignement spécial est-il fort éloigné de les bouder. C'est ainsi qu'en 1972, pour ne prendre qu'un seul exemple, le Morbihan a accueilli 29 classes de l'enseignement spécial représentant 399 enfants, parmi lesquels des déficients intellectuels légers issus de classes de perfectionnement ou d'Instituts médico-pédagogiques, mais

---

8. Circulaire du 6 mai 1971.

également des déficients intellectuels moyens avec troubles associés, des mal-entendants et même des débiles profonds.

Les partisans convaincus des classes de mer comme les responsables des centres d'accueil, soucieux d'assurer le plein emploi de leurs installations, assurent que ces classes peuvent être organisées tout au long de l'année scolaire car ils estiment possible, même en hiver, la pratique de la voile pour peu qu'on use d'embarcations adaptées. Ces mêmes partisans insistent sur la douceur du climat finistérien en hiver et reprochent amicalement aux enseignants de ne songer qu'au mois de mai pour organiser leurs classes de mer. En fait, comme pour les classes de neige, deux vagues successives, d'inégale importance, se manifestent habituellement. La première, relativement réduite, intéresse la fin du mois de septembre et le mois d'octobre. La seconde, qui mobilise les plus gros bataillons d'enfants, se situe en avril, mai et juin. Certains pédagogues estiment que le meilleur moment pour partir en classes de mer, comme en classes vertes d'ailleurs, se situe en octobre, un mois après la rentrée, ce qui permet au maître de connaître sa classe avant le départ et de disposer au retour de la presque totalité de l'année scolaire pour exploiter les documents recueillis, et surtout tenter de mettre en place, dans le cadre scolaire habituel, la pédagogie ouverte et progressiste expérimentée en classes de mer.

Pour permettre ces départs précoces, une Circulaire du 24 juillet 1973 abrège, « au moins dans certains cas », le délai de dépôt de la demande d'autorisation. Ce délai peut être ramené à quinze jours, « lorsqu'il s'agit de séjours dans des centres permanents » ou dans des centres non permanents, mais accueillant régulièrement des classes de nature, et « dont les conditions d'accueil et de fonctionnement sont bien connues de l'autorité académique », ce qui rend inutile toute enquête préalable. Dans ces deux cas, l'autorisation de séjour peut être accordée par l'Inspecteur d'académie du département d'accueil « dès réception de la demande envoyée par l'Inspecteur d'académie d'origine ». Il y a là une adaptation de la procédure administrative à des impératifs pédagogiques qui est trop rare pour qu'on ne s'empresse pas de la souligner.

## Les classes vertes

Les classes vertes n'apparaissent pas de manière autonome dans la législation scolaire, la circulaire qui les régit, celle du 6 mai 1971, concernant également les classes de mer. Toutes les dispositions réglementaires propres à ces dernières classes s'appliquent donc sans exception aux classes vertes. Nous nous trouvons là en présence d'une très opportune unification de la réglementation concernant deux catégories de classes à finalité identique, unification qu'il nous plairait de voir étendre aux classes de neige.

Bien que les classes de mer et les classes vertes possèdent une indiscutable unité pédagogique, ces dernières n'en jouissent pas moins d'une très nette spécificité. Ne disposant en effet pas de ces puissants catalyseurs pédagogiques que sont le ski ou la voile, les classes vertes sont conduites à motiver l'ensemble de leurs activités éducatives à partir de l'observation, de l'écoute et de la compréhension de l'environnement. L'étude de la nature se situe donc à l'épicentre des activités de ces classes, accompagnée d'ailleurs de l'observation des phénomènes relationnels en liaison avec la vie communautaire.

Les classes vertes ont également comme finalité particulière de conduire à une meilleure compréhension des ruraux et des citadins, en facilitant la connaissance de leurs problèmes respectifs. Dans cette optique se situent un certain nombre de réalisations dont la parenté avec les classes vertes est évidente, bien qu'elles s'en distinguent par certains de leurs aspects. Ainsi en est-il des « stages verts » organisés en Allemagne, en 1972, à l'intention de deux cents élèves de l'enseignement primaire de

Düsseldorf qui sont allés vivre, quinze jours durant, en compagnie de leurs maîtres, dans des exploitations agricoles de Westphalie[9].

En France, l'Association Ville-Campagne a proposé, en 1971, pour rapprocher les jeunes ruraux des jeunes citadins et permettre aux premiers, qui seront peut-être appelés un jour à venir travailler en ville, de se préparer aux changements qui les attendent, une formule d'échange se rapprochant davantage des classes vertes et prenant la forme de jumelages scolaires entre quartiers urbains et localités rurales. Selon cette formule, de jeunes citadins se rendraient en « classe verte » dans une localité rurale où, logés chez l'habitant, ils suivraient les cours de la classe locale, apprenant ainsi à connaître leurs camarades villageois ainsi que l'environnement naturel dans lequel ils vivent. Des jeunes ruraux viendraient en échange s'initier à la vie en ville dans des conditions identiques. Ce projet a reçu un début de réalisation et des échanges ont déjà eu lieu entre une classe primaire parisienne et plusieurs classes rurales des Yvelines.

Les classes vertes se présentent sous bien d'autres aspects encore. Certaines revêtent la forme classique d'un séjour de trois semaines à la montagne ou à la campagne. D'autres proposent des séjours plus intensifs mais n'excédant pas huit jours. Cette formule, particulièrement en honneur dans le second degré, où elle s'inscrit souvent dans le cadre d'une semaine « banalisée » organisée en vue de la mise en œuvre des « 10% », prend parfois le nom de « classe-nature » ou de « classe écologique », son objectif unique étant la découverte et l'étude de la nature, parfois dans l'un seulement de ses aspects, comme la forêt, les rivières ou la faune. Ces séjours de courte durée sont habituellement suffisants pour permettre la collecte d'une masse importante de documents et d'informations qui sont ensuite triés, classés et mis en forme au retour, motivant ainsi, de

9. Voir *L'Information agricole,* avril 1973.

longues semaines durant, la pratique des activités d'éveil. Lorsque ces classes vertes de courte durée sont centrées sur la vie du groupe-classe, elles peuvent permettre, au retour, à une organisation coopérative de naître et de se développer.

Parfois, la durée du séjour est plus réduite encore, et on se trouve en présence de « journées-nature » qui se déroulent dans l'environnement immédiat de la ville, alternant parfois avec des journées de classes « normales » ou revêtant toutes autres périodicités[10].

Les classes vertes bénéficient d'une importante période de temps au cours de laquelle il leur est possible de fonctionner. Octobre et même novembre leur sont propices. Mais ce sont surtout avril, mai et juin qui ont la préférence des enseignants[11]. Certains, nous l'avons vu, souhaitent faire bénéficier leurs élèves, très tôt dans l'année scolaire, d'une classe verte, de manière à pouvoir profiter ensuite, l'année scolaire durant, des rapports nouveaux établis dans la classe à l'occasion du séjour à l'extérieur. D'autres, au contraire, considèrent plutôt la classe verte comme un aboutissement auquel on se prépare psychologiquement, pédagogiquement et matériellement, de longs mois durant. Cette préparation minutieuse, estiment ces enseignants, permettant seule aux élèves de retirer, dès le début, le profit maximum de leur classe verte. Si l'on adhère à ce point de vue, les classes vertes ne devraient donc pas fonctionner avant le troisième trimestre de l'année scolaire. Il nous semble difficile de trancher entre deux conceptions étayées chacune par des arguments pédagogiquement valables. Notons cependant que si la classe verte doit faciliter l'évolution pédagogique de la classe, elle peut le faire tout aussi bien avant sa tenue qu'après, sa

10. Voir l'article « Classes de nature à Narbonne », dans *Le Monde de l'Éducation*, février 1977.
11. Dans le département des Hautes-Alpes, en 1975-1976, 8 classes de nature ont fonctionné en octobre ; 2 en novembre ; 27 en mai ; 42 en juin.

préparation, dans une optique ouverte, constituant en elle-même une innovation non négligeable.

*Les classes vertes « équitation »* représentent une variété originale de classes vertes qui se rapprochent des classes de neige ou de mer, dans la mesure où l'activité éducative y est centrée sur la pratique d'un sport caractérisé, en l'occurrence l'équitation. Les pouvoirs publics ont reconnu très tôt les vertus de ces « classes de cheval » puisqu'ils leur ont consacré une circulaire dès 1972, qu'ils ont financé trois centres spécialement conçus et réalisés pour elles, et qu'ils apportent leur patronage à l'Association qui les gère.

La pratique de l'équitation en classes vertes répond à trois objectifs complémentaires qui appartiennent, tous trois d'ailleurs, à la panoplie des objectifs propres aux classes vertes ordinaires. Il s'agit, prioritairement, de permettre aux enfants de l'école primaire de s'initier à la pratique d'un sport, l'équitation, qui, plus encore peut-être que le ski, demeure l'apanage de quelques privilégiés. Un sport dont les vertus éducatives sont par ailleurs évidentes et qui peut devenir un exceptionnel instrument de loisir. Le cheval constitue, d'autre part, pour l'enfant « un support de contact »[12] privilégié avec l'environnement et, qui plus est, un support vivant étroitement intégré à cet environnement. C'est en ce sens que la circulaire de 1972 voit en lui « un moyen de mieux aborder l'étude du milieu ». Le cheval enfin est un animal particulièrement « motivant » pour les élèves et susceptible de servir de prétexte à de très nombreux thèmes d'études relatifs aux disciplines instrumentales comme aux activités d'éveil.

Toutes ces qualités expliquent, ainsi que le précise la circulaire de 1972, que le cheval puisse constituer, « avec les activités physiques ou d'éveil auxquelles il se prête », l'un des centres d'intérêt autour duquel s'organise plus particulièrement le travail

---

12. Cf. *L'Équitation comme facteur d'animation des classes vertes, op. cit.*

de la classe pendant la durée de la « transplantation ». Pour prévenir toute équivoque, la même circulaire rappelle d'ailleurs que les classes vertes « équitation » sont, comme les autres classes transplantées, « d'abord et avant tout des classes », et que « leur horaire devra permettre un travail scolaire conforme au programme de la classe ».

Situées encore dans une phase de démarrage, les classes vertes « équitation » sont sans doute appelées à se développer, d'autant qu'elles sont les seules classes de nature à pouvoir fonctionner en toutes saisons.

CHAPITRE IV

# L'ORGANISATION DES CLASSES DE NATURE

Lorsqu'on tente de saisir, à travers la législation qui les régit, le statut administratif et pédagogique des classes de nature, on est conduit à constater bien des contradictions résultant de l'absence d'une politique d'ensemble appliquée à ces classes[1].

C'est ainsi, tout d'abord, que le statut administratif des classes de nature varie de l'une à l'autre. Nous avons déjà signalé que les textes concernant les classes de mer et les classes vertes ne s'appliquent pas aux classes de neige. Bénéficiant de leur propre législation, celles-ci font ainsi figure d'îlot autonome au sein des autres classes de nature. Même disparité dans le domaine financier. Alors que les classes de neige peuvent prétendre à l'aide de l'État, les classes de mer et les classes vertes sont entièrement à la charge des collectivités organisatrices. Autre anomalie encore, déjà signalée, toutes les classes de nature ne concernent pas le même « public » scolaire. Alors que les classes de neige sont réservées à l'enseignement élémentaire, les classes de mer et les classes vertes sont ouvertes à tous les ordres d'enseignement. L'encadrement lui-même varie d'une classe de nature à l'autre. Quant aux concepts pédagogiques auxquels se réfèrent ces classes, ils diffèrent eux aussi.

Non seulement les textes qui régissent les classes de nature ne s'ordonnent pas en un tout cohérent, mais ils présentent, de plus, un caractère nettement lacunaire. Si, en effet, des règles existent concernant l'encadrement, le contrôle pédagogique,

1. Voir *Éducation et Développement, op. cit.*

administratif et sanitaire des classes de nature, aucune directive précise n'est fournie aux organisateurs quant au choix des implantations, au mode d'utilisation des équipements ou au type d'installation à rechercher. Sur le plan pédagogique, les enseignants participant à une classe de neige sont livrés à eux-mêmes, aucune orientation ne leur étant proposée par les textes officiels.

Ce manque de cohérence et ce caractère lacunaire des textes officiels tiennent au fait que la législation des classes de nature a toujours suivi et jamais précédé les réalisations. Ils résultent également de la situation des classes de nature à la jonction de plusieurs départements ministériels, tels que le ministère de l'Éducation, le Secrétariat d'État à la Jeunesse et aux Sports, le ministère de la Qualité de la Vie, le ministère de l'Agriculture, et de l'absence de toute instance centralisatrice susceptible de coordonner et d'unifier les efforts des uns et des autres.

### Une décentralisation des initiatives

Qu'il s'agisse des classes de neige, des classes de mer ou des classes vertes, l'initiative de leur organisation ne revient jamais à l'État, mais toujours aux organismes locaux qui les financent. Les textes ministériels sont, à ce propos, on ne peut plus clairs. Ainsi, la Circulaire du 29 octobre 1963 indique, à propos des classes de neige, que « l'initiative de leur création est laissée aux collectivités locales responsables du financement », tandis que celle du 21 mars 1961 insiste en précisant que les collectivités organisatrices « ne peuvent envisager cette réalisation que dans la mesure des moyens dont elles disposent ». En ce qui concerne les classes de mer et les classes vertes, le texte de 1971 est encore plus précis. « L'initiative de l'organisation des séjours, indique-t-il, est prise par une collectivité communale ou départementale, ou par un établissement scolaire, ou par une association légalement déclarée et constituée (coopérative, foyer socio-éducatif...) responsable du financement. »

Outre ces divers organismes cités par la circulaire ministérielle, il arrive fréquemment que la Fédération des œuvres laïques, les Associations de parents d'élèves, les Caisses des écoles, les Coopératives scolaires prennent à leur compte l'organisation de classes de nature. Des individus même peuvent être à l'origine de ces classes, enseignants, maires ou conseillers municipaux. Compte tenu cependant de la multiplicité des démarches à effectuer et de la nécessaire coordination des actions, l'initiateur d'une classe de nature, quel qu'il soit, s'en remet habituellement à une collectivité locale, une commune le plus souvent, qui prend en charge l'ensemble des formalités à accomplir.

Notons à ce propos que la ville de Paris, qui envoie chaque année à la neige, à la mer ou à la campagne un nombre important de classes, s'est dotée d'une structure particulièrement efficace sous la forme d'un « Service des classes de nature », directement rattaché à la Direction des Affaires scolaires de la Préfecture de Paris, et chargé de résoudre tous les problèmes administratifs et matériels que pose la transplantation d'une classe. Face à l'utilité d'un tel organisme, on se prend à rêver aux services que pourrait rendre aux classes de nature un organisme similaire à compétence nationale.

Abandonner à des organismes locaux l'initiative des classes de nature, correspond à un souci de décentralisation des décisions dont on n'a pas l'habitude dans le monde centralisé et hiérarchisé de l'Éducation nationale. B. Girod de L'Ain s'en étonnait déjà en 1965 : « Les classes de neige, écrivait-il, constituent une des rares réalisations en France qui ne dépendent pas du pouvoir central, l'initiative étant du seul ressort des communes[2]. » Les raisons profondes d'une telle attitude des pouvoirs publics tiennent à l'impossibilité dans laquelle ils se

---

2. B. GIROD DE L'AIN, dans *Le Monde,* 11 décembre 1965.

trouvent de prendre l'initiative de réalisations dont ils ne peuvent assurer le financement. Le seul avantage de ce système est qu'il incite les autorités élues à s'intéresser à la santé des élèves et à l'évolution des méthodes pédagogiques. Il présente, par contre, l'inconvénient de freiner le développement des classes de nature et d'avantager les grandes concentrations urbaines au détriment des villes plus modestes et des zones rurales, constituant ainsi en véritables « déserts », sur le plan des classes de nature, des régions entières du territoire national. Si les pouvoirs publics ne se veulent pas instigateurs de classes de nature, du moins se réservent-ils le droit d'accepter ou de rejeter les projets qui leur sont soumis. Les procédures d'approbation diffèrent suivant le type de classes de nature considéré, en même temps qu'elles ont évolué dans le temps.

Une circulaire de 1961 stipule que l'approbation des classes de neige relève du Recteur (Service académique de la Jeunesse et des Sports), auquel doit être soumis un dossier comprenant notamment une délibération du conseil municipal de la collectivité organisatrice traitant des conditions financières d'organisation de la classe de neige, un rapport de l'Inspecteur d'académie du département d'origine précisant, entre autres, la nature de l'encadrement, un avis enfin de l'Inspecteur d'académie du département d'accueil sur les locaux appelés à héberger la classe de neige, en même temps que l'engagement de sa part de procéder « à un contrôle du fonctionnement de ces classes, au point de vue matériel et moral ». Sans retracer toute cette procédure, les circulaires de 1963 et 1964 rappellent que « les projets d'ouverture (de classes de neige) doivent être soumis à l'approbation de l'Inspecteur d'académie du département d'origine ». Pour les classes de mer et les classes vertes, c'est l'Inspecteur d'académie du département d'accueil qui est « seul habilité pour délivrer l'autorisation légale de séjour[3] ». Les organisateurs doivent donc

---

3. Circulaire du 6 mai 1971.

faire parvenir, « six semaines au moins avant le début du séjour »[4], une demande d'autorisation à l'Inspecteur d'académie de leur département, lequel la transmet à son collègue du département d'accueil pour l'octroi de l'autorisation. Le délai de six semaines est motivé par la nécessité de procéder à une enquête sur les locaux prévus pour l'hébergement des élèves.

Il arrive que les autorisations de séjour ne soient pas sollicitées et que des classes de nature fonctionnent à l'insu des autorités académiques. Il y a là une situation que nous ne saurions trop déconseiller car elle prive le maître, en cas d'accident, du bénéfice de la loi de 1937.

Si l'autorisation des classes de nature est relativement aisée à obtenir, il n'en est pas de même des moyens financiers nécessaires à leur fonctionnement.

### Un financement essentiellement local[5]

Il n'est pas aisé d'établir un budget-type valable pour toutes les catégories de classes de nature, de nombreux éléments variant de l'une à l'autre. Quelle que soit cependant la classe de nature considérée, son budget doit nécessairement intégrer les rubriques suivantes :

— L'accueil, se traduisant par un prix de journée dans lequel entrent : l'hébergement, la nourriture, le blanchissage et les frais de fonctionnement (dépense en énergie et salaire des personnels de service).

— L'indemnité des personnels d'encadrement permanents (instituteur, animateur, assistante sanitaire) et des moniteurs spécialisés (ski, voile).

---

4. Nous avons vu que ce délai peut être ramené à quinze jours lorsque la classe séjourne dans un centre permanent de classes de mer ou de classes vertes.
5. Voir l'enquête réalisée par *Ski français*, n° 229, janvier 1977.

— Les frais éducatifs (achat ou location de matériel et équipement pédagogique, culturel ou sportif).

— Les frais de transport, ainsi que ceux des éventuelles excursions.

— Les frais d'assurance et ceux relatifs à des activités diverses.

Pour une classe de neige, l'importance respective de ces divers chapitres par rapport au budget total, s'établit en moyenne de la manière suivante :

Hébergement et entretien ................... 65 %
Rémunération des moniteurs et des animateurs  13,5%
Transports ................................. 10 %
Équipement sportif ........................ 11,5%

Il est fort difficile, voire impossible, de fixer un prix de journée moyen pour un séjour en classe de nature. Le ministère de l'Éducation estimait, en 1972, à 25 F par jour et par enfant le prix de revient moyen d'une classe de nature, tout en reconnaissant que celui-ci pouvait sensiblement différer d'une région à l'autre. En fait, le coût d'une classe de nature peut varier d'un tiers, en plus ou en moins, selon la nature de la classe (une classe de mer coûte en moyenne deux fois plus cher qu'une classe de neige, du fait de l'importance du matériel et du personnel employés), les conditions d'hébergement, la longueur du trajet, etc.

En 1975, le prix de journée dans les centres permanents de classes de mer était de 40 F, chiffre élevé qui s'explique en partie par l'importance des frais de personnel qui représentaient 57% du prix de journée. On a calculé que si ces frais étaient pris en charge par l'État, notamment ceux relatifs à la rétribution des éducateurs, le prix de journée serait ramené à 18 F seulement par enfant.

Le financement des classes de nature repose à la fois sur les collectivités organisatrices, l'État et les familles, sans parler d'organismes divers dont la participation est plus marginale.

Pour les classes de neige, la répartition entre les trois principales sources de financement s'établissait ainsi en 1969 et 1971 :

|  | 1969 | 1971 |
|---|---|---|
| Collectivités organisatrices ....... | 64,74% | 66,14% |
| Subventions d'État .............. | 2,60% | 2,06% |
| Contribution des familles ........ | 32,66% | 31,80% |

Quel que soit le type de classes de nature, l'essentiel de son financement est donc assuré par la collectivité locale organisatrice, c'est-à-dire en fait, le plus souvent, par la commune. Tous les textes réglementaires insistent sur la nécessité pour les communes de financer les classes de nature qu'elles organisent. L'autorisation de ces classes est d'ailleurs, nous l'avons vu, subordonnée à la possibilité de leur financement.

En ce qui concerne l'enseignement primaire, un tel mode de financement peut se justifier, la loi mettant à la charge des communes le fonctionnement des écoles élémentaires. Il se justifie beaucoup moins lorsque la classe de nature est issue d'un CES ou d'un lycée, dont les frais de fonctionnement n'incombent pas aux communes. Même s'il arrive aux collectivités locales de participer au financement de tels séjours, elles ne le font jamais que de manière limitée et en manifestant de justes réticences. A l'établissement alors d'opérer des prouesses pour rassembler les fonds nécessaires au fonctionnement de sa classe de nature.

Le fait que le financement des classes de nature repose de manière presque exclusive sur les collectivités locales ne favorise pas « l'égalité des chances » des élèves face à la montagne, la mer ou la campagne. Certaines communes ne sont, en effet, pas convaincues de l'intérêt des classes de nature, tandis que de nombreuses autres ne sont pas en mesure de les financer.

Quant aux subventions d'État, seules les classes de neige, et encore celles répondant aux critères fixés par la circulaire du 27 novembre 1964[6], peuvent en bénéficier. En 1961, la subvention de l'État se situait entre 1.600 et 2.000 NF par classe de trente élèves pour un séjour de trente jours. En 1963, « la multiplication du nombre des classes de neige »[7] rend nécessaire, malgré « l'augmentation globale des crédits de subventions », l'établissement de certaines priorités dans l'attribution des crédits. Sont désormais considérées comme prioritaires, les classes de neige issues de classes fonctionnant régulièrement à mi-temps, celles dont les collectivités organisatrices n'exigent des familles qu'une faible participation, les expériences nouvelles enfin. Par contre, la subvention d'État peut être refusée, « dans le cas où les promoteurs sont des collectivités dotées de ressources importantes ou bénéficiant de concours financiers spéciaux ». Dernière limitation enfin, la Circulaire du 29 octobre 1963 signale que les classes de neige implantées à l'étranger ne peuvent bénéficier d'une subvention de l'État. La même circulaire précise que les services de la Jeunesse et des Sports du département d'origine qui attribuent, sur les crédits déconcentrés, les subventions d'État, doivent tenir compte du budget de chaque classe de neige, de « l'effort fait par les collectivités responsables » pour accroître le nombre de ces classes, de la modicité de la participation demandée aux familles, de l'adoption enfin d'un prix de journée raisonnable.

La Circulaire du 14 novembre 1968 s'alarme des conséquences financières découlant de la prolifération, à partir de 1968, d'une très grande variété de classes de nature. « Face à la

---

6. Ces critères concernent essentiellement le caractère homogène de la classe et la durée du séjour qui doit être de quatre semaines.
7. Circulaire du 4 janvier 1963.

multiplication de ce genre d'initiatives, écrit le ministre, mon département se trouve dans l'impossibilité de généraliser sa participation aux dépenses d'investissement et de fonctionnement correspondants. » Le ministre rappelle, en conséquence, que la « subvention d'incitation et d'encouragement » attribuée par l'État, sur la dotation inscrite au chapitre 43.31 (article 2) sous la rubrique « classes de neige », ne peut l'être qu'aux seules classes de neige, et sous réserve qu'elles répondent aux critères d'homogénéité et de durée fixés par la Circulaire du 27 novembre 1964. Signalons qu'en 1975, 2% seulement des classes de neige répondaient à ces critères, bénéficiant ainsi d'une subvention de l'État.

Même si le montant global des crédits affectés par l'État aux classes de neige n'a cessé de croître depuis 1953, pour atteindre 2.000.000 F en 1972, il n'en reste pas moins que ces crédits ne représentent qu'un très faible pourcentage — et un pourcentage qui va décroissant — du financement total des classes de neige. De 1,44% en 1974, ce pourcentage est en effet tombé à 1,20% en 1975. Une telle « carence » de l'État ne manque pas de trouver de nombreux détracteurs qui la jugent en contradiction avec le principe de la gratuité de l'enseignement. Quant aux classes de mer et aux classes vertes, l'État n'accorde aucune subvention à leurs organisateurs. Sa participation se limite à la prise en charge de l'équipement et du fonctionnement des centres d'accueil permanents mis en place depuis 1971.

Qu'il s'agisse des classes de neige, des classes de mer ou des classes vertes, les collectivités organisatrices sont généralement contraintes de demander une participation financière aux familles. En 1961, un texte ministériel précise que cette participation doit être évaluée sur la base des allocations familiales, soit 2,25 NF par jour et par enfant[8]. En 1972, un autre texte évalue la participation des familles à 10 F environ par jour et par enfant.

8. Circulaire du 21 mars 1961.

En fait, cette participation est extrêmement variable étant fonction de l'effort financier consenti par les communes. Aucune enquête précise n'ayant jamais été effectuée à ce sujet, il est malaisé de connaître les exigences des municipalités à l'égard des familles. Souvent cette participation correspond au coût minimum de l'alimentation, le prix du repas au restaurant scolaire servant de référence. La ville de Paris demande, par exemple, 160 F aux familles pour un séjour de quatre semaines en classe de neige. Ailleurs, la participation des familles varie entre la gratuité totale et une somme de 800 F. D'autres sources situent la fourchette entre 185 F et 755 F.

Même si les municipalités consentent des tarifs préférentiels aux familles nécessiteuses, ou si celles-ci peuvent être aidées, selon des barèmes qui leur sont propres, par certaines caisses, mutuelles ou œuvres sociales diverses, il n'en reste pas moins que le fait de demander une participation financière aux familles n'œuvre pas en faveur d'une démocratisation des classes de nature. Celles-ci n'apparaissent plus ainsi comme une nécessité de notre civilisation industrielle et de notre système scolaire, mais comme un luxe réservé à quelques élèves privilégiés.

Il arrive enfin, malgré la diversité de ces sources de financement, que la collectivité organisatrice ne parvienne pas à faire vivre sa classe de nature. Elle est alors contrainte de frapper à toutes les portes qui peuvent se présenter : Conseil Général, coopérative scolaire, foyer socio-éducatif, Amicale laïque, Association de parents d'élèves, œuvre des pupilles, Caisses d'allocations familiales, etc. Parfois même elle a recours à des kermesses, voire à des souscriptions auprès des commerçants ou des parents d'élèves d'autres classes que celle qui part à la mer, à la montagne ou à la campagne. C'est assez dire la grande misère des classes de nature, et l'extrême marginalité dans laquelle elles sont encore cantonnées.

## Une grande variété de centres d'accueil

Après le problème du financement, celui de l'hébergement des classes de nature s'avère le plus épineux à résoudre[9]. Quelle que soit la nature des locaux choisis, il importe qu'ils se situent dans un cadre permettant aux classes de nature de pratiquer l'ensemble de leurs activités. La condition première est la présence d'une nature « naturelle », exempte de toute pollution, et pas encore totalement imprégnée par un excès de civilisation moderne. N'oublions pas, en effet, que si un paysage industriel peut constituer un passionnant sujet d'étude pour les élèves, l'un des objectifs des classes de nature n'en demeure pas moins la santé des enfants, ce qui suppose la présence d'un air pur et vivifiant, ainsi qu'un retour aux sources de l'environnement naturel. Ce qui ne veut pas dire pour autant que les classes de nature doivent s'installer dans un désert humain. Un environnement économique et social de qualité est, en effet, indispensable à leur ouverture sur la vie.

Ce souci de placer les classes de nature au contact de communautés vivantes et actives avec lesquelles des échanges de tous ordres pourront s'instaurer, exclut tout aussi bien les villages abandonnés que les modernes stations de sports d'hiver. Si les premiers n'attirent guère les classes de nature — sauf, à l'occasion, quelques classes vertes « restauratrices » — les secondes, par contre, ont trop tendance à exercer sur elles un attrait néfaste. Le Haut-Comité de la Jeunesse et des Sports s'efforce d'éclairer, sur ce point, les promoteurs de classes de neige, en recommandant de les implanter « dans des petites stations en dehors des sites classiques du tourisme, pour contri-

---

9. Signalons, à ce propos, les services éminents rendus par le récent *Annuaire des classes de nature,* édité par la Fondation « Sauvons l'Avenir », avec la collaboration des ministères de la Qualité de la Vie et de l'Éducation, et qui présente la liste des centres d'accueil de classes de nature par département.

buer au développement économique rural[10] ». Les grandes stations touristiques constituent, en effet, un espace artificiel dans lequel il est parfois malaisé de retrouver la nature. Ne permettant, d'autre part, que la pratique du ski de piste, elles n'incitent guère à découvrir, grâce au ski de fond par exemple, la nature montagnarde vierge au sein de laquelle se nichent nombre de villages reculés, non encore atteints par la poussée touristique.

Les classes de neige, du fait de leur situation en altitude, sont les plus exigeantes quant à l'implantation de leurs locaux d'accueil. Une altitude comprise entre 1.000 et 1.800 m semble la mieux indiquée, car elle permet un bon enneigement tout en ne fatiguant pas l'organisme des enfants. L'ensoleillement et l'abri des vents dominants sont à rechercher, ainsi que la proximité des services indispensables (hôpital, médecin, pharmacien, dentiste, etc.), sans oublier celle des remontées mécaniques. L'accès enfin doit être aisé, par des routes dégagées en permanence. Tous ces impératifs font que c'est généralement la moyenne montagne qui bénéficie de la faveur des classes de neige. Ainsi, dans les Alpes, l'Oisans, la Maurienne, la Tarentaise, mais aussi le Briançonnais et les préalpes calcaires.

Quant aux locaux d'accueil, leur installation doit être agréée par l'Inspecteur départemental de la Jeunesse et des Sports et la Commission départementale de sécurité. Des normes précises ont été fixées par le ministère de l'Éducation, différentes d'ailleurs de celles établies par le Secrétaire d'État à la Jeunesse et aux Sports pour les centres de vacances[11]. Les textes officiels traitant des classes de nature consacrent tous un paragraphe particulier aux locaux destinés à les héberger. Ils précisent que ceux-ci doivent permettre « d'assurer un enseignement normal[12] », la salle de classe devant être, dans le cas des classes de

---

10. *Éducation et Développement, op. cit.*, p. 56.
11. Voir ces normes dans la brochure *Classes de neige, classes de mer,* éditée par le Service des classes de nature de la ville de Paris.
12. Circulaire du 6 mai 1971.

neige, distincte de la salle à manger. Ces locaux doivent, en outre, « comporter des installations d'internat réglementaires », petits dortoirs ou chambres bien aérés, « avec possibilité d'évacuation rapide », des installations sanitaires intérieures et extérieures, une chambre d'isolement, un local chauffé pour le séchage des vêtements et l'entrepôt des skis, une salle de jeu enfin qui devient, sept ans plus tard (1971), une salle « d'activités collectives ». Quant aux installations d'accueil des classes vertes « équitation », elles doivent évidemment « permettre dans de bonnes conditions (équipement, encadrement, technique...) les diverses activités équestres de manège et de plein air[13] ».

C'est l'Inspecteur d'académie du département d'accueil qui est chargé d'effectuer la prospection des locaux des classes de nature, à charge pour lui, le cas échéant, de demander l'agrément des autorités compétentes. Les départements qui organisent un nombre important de classes de neige prospectent cependant souvent eux-mêmes les locaux disponibles, en liaison avec les services placés sous la responsabilité de l'Inspecteur d'académie du département d'accueil qui décernent les autorisations nécessaires.

S'ils entendent répondre à leur vocation éducative, les locaux abritant les classes de nature doivent faciliter le fonctionnement de la vie collective, tout en permettant aux enfants de se livrer aux multiples activités que suppose une étude attentive du milieu. Pour que la vie collective puisse s'organiser de manière harmonieuse, il importe que la concentration d'enfants ne soit pas trop importante. Un rassemblement réduit d'élèves permet, en effet, à ceux-ci de se mieux connaître, en même temps qu'il rend plus aisée une adaptation permanente de l'emploi du temps aux circonstances. Ceci dévalorise les projets de certains promoteurs qui, davantage soucieux de rentabilité que d'éducation, se proposent de construire de véritables villages pour les clas-

---

13. Circulaire du 24 juillet 1973.

ses de neige. Le minimum autorisé par les textes réglementaires, pour les classes de mer et les classes vertes, est de deux classes par centre d'accueil, de manière à diminuer le coût du séjour tout en préservant les conditions de sécurité. Il semble que l'on puisse aller jusqu'à 85-90 élèves, soit trois classes normales ou quatre classes à effectif réduit. Le problème, en fait, est de trouver un compromis entre deux exigences contradictoires : « le respect de l'unité de la classe et la nécessité de l'élargissement de la communauté éducative[14] ».

Un tel compromis ne peut résulter que de l'organisation architecturale des locaux. Chaque classe doit, en effet, posséder son local, nettement individualisé, avec son matériel scolaire et ses documents récoltés dans l'environnement, tandis que des espaces communs doivent favoriser, à certaines heures, les rencontres inter-classes. Espaces qui peuvent être la salle à manger, où se pratique l'un des rites importants de la vie collective, le foyer de jeu et de détente ou le plateau de sport. En classes de mer ou en classes vertes, des installations de type pavillonnaire comportant différents bâtiments affectés au coucher, à la restauration, aux activités éducatives ou sportives, seraient sans doute susceptibles de faciliter à la fois la constitution du groupe-classe et son ouverture vers le grand groupe. En classes de neige, les impératifs climatiques obligent, au contraire, à concentrer tous les services dans un bâtiment unique, de manière à éviter les circuits extérieurs. Le système pavillonnaire n'est cependant pas exclu, sous réserve que les différents bâtiments soient reliés par des galeries fermées.

Afin de permettre une exploitation scientifique de l'environnement, il serait souhaitable que chaque centre d'accueil comporte, outre les locaux habituels d'hébergement, des ateliers spécialisés permettant le dessin, la photographie, la sérigraphie, les activités audiovisuelles, la réalisation de petits élevages, etc.

---

14. *Éducation et Développement, op. cit.,* p. 52.

Certains adjoindraient volontiers à ces ateliers un petit jardin botanique. Un minimum de matériel est également nécessaire au bon fonctionnement des classes de nature. Qu'il s'agisse d'une documentation régionale (livres, revues, disques, bandes magnétiques, cartes, etc.) ou de quelques appareils simples nécessaires à l'observation du milieu (vivarium, aquarium, boussoles, loupes, thermomètre, lunette astronomique, etc.).

Dans les faits, les installations utilisées par les classes de nature sont extrêmement variées, même si les ministères de tutelle recommandent d'utiliser essentiellement les locaux des colonies de vacances et les bâtiments scolaires désaffectés. Les classes de neige s'installaient souvent autrefois à l'hôtel, utilisant les périodes creuses de la saison touristique. Outre que l'hôtel convient rarement à l'accueil d'une collectivité d'enfants ayant pour objectif le travail scolaire et la pratique du ski, le développement du tourisme d'hiver a rendu prohibitif sur le plan financier l'utilisation de ce type d'hébergement. Les classes de neige s'installent aujourd'hui dans les centres de vacances (mais se pose le problème du chauffage), dans les écoles de montagnes désaffectées, dans les centres de l'UNCM, parfois même dans des bâtiments spécialement aménagés à leur intention par les ruraux, comme c'est le cas en Champsaur et dans les Bauges. Mais, de plus en plus, les classes de neige trouvent refuge dans des locaux construits pour elles par les municipalités promotrices, lesquelles rentabilisent leurs installations en accueillant, l'été, des colonies de vacances, des séjours familiaux, des stages de formation d'animateurs, voire des « sessions de vacances troisième âge ».

Les classes de mer utilisent, elles aussi, les locaux des colonies de vacances et des établissements scolaires désaffectés. De plus en plus cependant, elles sont hébergées dans des centres permanents dont il sera question plus loin. Outre les écoles de villages désaffectées et les locaux des colonies de vacances, les classes vertes utilisent certains centres d'accueil de classes de

neige fonctionnant hors saison à leur intention. Les classes vertes sont d'ailleurs peu exigeantes en matière de locaux d'accueil.
Un dortoir avec lits de camp, ou même de simples matelas, une
salle de classe, une pièce pour le logement du maître et une
cuisine suffisent à faire un centre d'accueil. Il arrive même que
celui-ci se réduise à un simple camp de toile. Parfois, c'est au
sein d'un village abandonné que les classes vertes trouvent asile,
s'employant à le restaurer. Parfois même, c'est chez l'habitant
que logent les enfants des classes vertes. (Ce qui n'est pas sans
poser des problèmes de responsabilité.) Les classes vertes utilisent aussi, et de plus en plus, les récents centres permanents
d'initiation à l'environnement qui constituent peut-être, avec les
centres permanents de classes de nature, les futures structures
d'accueil normales de ces classes.

La création de centres permanents de classes de mer et de
classes vertes, devenus par la suite centres permanents de classes de nature, a été annoncée par la Circulaire du 29 septembre
1971. Ces centres sont destinés à accueillir maîtres et élèves
auxquels ils permettent de « recevoir sur place, dès leur arrivée,
tous renseignements, conseils et aides nécessaires », leur évitant
ainsi d'être désorientés « par la diversité et la complexité des
problèmes que leur pose un milieu qu'ils ne connaissent pas ».
Ajoutons que ces centres favorisent une meilleure répartition des
séjours tout au long de l'année scolaire. Bénéficiant d'une subvention de démarrage attribuée par le ministère de l'Éducation,
les centres permanents sont équipés « en mobilier scolaire et
matériel scientifique et pédagogique ». Ils possèdent ainsi des
salles de travail, du matériel audiovisuel et nautique (voiliers,
bateaux de sécurité, cirés pour les enfants, matériel de pêche),
ainsi qu'une documentation sur le milieu. Signalons, à titre
d'exemple, que le centre de Moulin-Mer dispose de quatre-
vingt-dix-sept bateaux, « Optimists », « Mousquetaires »,
« Mentors » ou « Cigognes ».

Les centres de classes de nature fonctionnent en permanence

tout au long de l'année scolaire. Ils accueillent, pour des séjours de trois semaines, des classes extérieures à leur département et, pour des séjours plus courts, des classes de leur propre département. Ces centres sont placés sous la responsabilité d'un instituteur « chargé d'assurer l'animation et la coordination » de leurs activités. Notons que cet instituteur reçoit une formation en rapport avec ses responsabilités qui sont à la fois administratives et pédagogiques. L'objectif du ministère est de créer un centre permanent de classes de nature par département. A la rentrée 1971, quatorze centres ont été ouverts. Des créations ultérieures ont porté ce nombre à vingt-six (répartis dans douze académies), dont dix-sept centres permanents de classes de mer et neuf centres permanents de classes vertes. En 1976, quarante centres fonctionnaient, cinq autres se sont ouverts à la rentrée de 1977[15].

Trois conditions président à la création d'un centre permanent. Celui-ci doit, tout d'abord, bénéficier d'un environnement qui, sur le plan du site, de la faune, de la flore et de l'implantation humaine, constitue pour les petits citadins une source de dépaysement et d'enrichissement. Ce qui exclut, nous l'avons vu, toute implantation en milieu essentiellement touristique. Ces centres doivent ensuite être aménagés à partir de bâtiments existant déjà, comme ceux, par exemple, destinés aux colonies de vacances, la subvention accordée par l'État ne couvrant que l'équipement pédagogique. Ces centres doivent enfin être rentabilisés par un fonctionnement permanent, ce qui suppose qu'on les installe en des lieux où la demande est suffisante pour en permettre le plein emploi.

A ces centres principaux s'adjoignent des centres satellites, sans encadrement ceux-là, les uns permanents et les autres saisonniers. Ces centres annexes fonctionnent habituellement sous

---

15. Circulaire du 22 mars 1977.

la responsabilité de l'instituteur chargé de la gestion du centre permanent de base.

Moins nombreux encore, et pas uniquement réservés aux classes de nature, les centres permanents d'initiation à l'environnement peuvent cependant, eux aussi, être mis à contribution pour l'hébergement de ces classes[16]. L'accueil des classes de nature constitue, en effet, avec la formation de formateurs à la pédagogie de l'environnement et à l'animation en milieu rural, l'un des trois objectifs des CPIE. Ouverts aux formateurs de tous horizons, aux jeunes, organisés ou non, au grand public enfin, chargés de former les « touristes intelligents de demain »[17], ces centres prétendent, comme les classes de nature, initier à la relation Homme-Nature, « à travers une approche pluridisciplinaire incluant géographie, histoire, sciences naturelles, agriculture traditionnelle et moderne, paysage, archéologie, arts et traditions populaires, artisanat, habitat rural, urbanisme, industrie, aménagement du territoire, etc.[18] ». Encadrés par une équipe pédagogique pluridisciplinaire permanente, gérés par des associations régies par la loi de 1901, placés sous la tutelle de sept ministères[19], les centres permanents d'initiation à l'environnement, au nombre de quatre en 1976[20] (voir fig. 4), constituent une structure ouverte dont il est actuellement difficile de

---

16. Cf. *Éducation et Développement, op. cit.*, pp. 64 à 67 et *Le Monde* du 29 mai 1976.
17. Cf. *Le Monde* du 29 mai 1976.
18. Cf. *Éducation et Développement, op. cit.*, p. 65.
19. Environnement, Éducation, Jeunesse et Sports, Agriculture, Tourisme, Culture et Intérieur.
20. Les centres fonctionnant en 1976 sont ceux de Lanslebourg, auprès du Parc national de la Vanoise; de Bagnères-de-Bigorre, auprès du Parc national des Pyrénées et d'Aurillac (Cantal). Les centres en cours de réalisation sont ceux de Le Teich dans le Parc naturel régional des Landes de Gascogne, d'Armorique, dans le Parc naturel régional d'Armorique, de Merlieux-Cessières dans l'Aisne, de Sireuil dans le Périgord Noir et d'Argy (Indre). Les centres en projet enfin sont ceux de Bonzée-en-Woëvre, de Lerné (Indre-et-Loire) et de Forcalquier-Ongle (Alpes-de-Haute-Provence).

CENTRES PERMANENTS D'INITIATION A L'ENVIRONNEMENT

*Figure 4*

préjuger de l'avenir. Une commission nationale, créée en 1976, dans le but de coordonner l'aide apportée aux CPIE par les divers services publics, se propose d'obtenir la création d'un centre d'initiation à l'environnement par département.

## Un encadrement hétérogène

Les classes de nature sont le siège d'une foule d'activités s'articulant autour de trois dominantes : l'activité proprement scolaire, incluant l'étude du milieu local, les activités liées à la vie de groupe, et les activités sportives (ski, voile, équitation). La diversification de ces fonctions, jointe à la finalité éducative des classes de nature, suppose la présence d'une équipe pédagogique particulièrement compétente et soudée.

Les textes officiels fixent, pour chacune des deux grandes catégories de classes de nature, la composition de cette équipe d'encadrement, ainsi que le rôle de chacun de ses membres. C'est ainsi que le personnel d'encadrement des classes de neige comprend l'instituteur de la classe, une infirmière ou une assistante sanitaire, un animateur et un moniteur de ski. Pour les classes de mer, l'instituteur constitue toujours la cheville ouvrière de l'équipe pédagogique. Il est accompagné d'au moins deux « éducateurs de plein air ». Le texte de 1971 précise, d'autre part, que pour les activités sportives, voile et baignade en particulier, « les normes d'encadrement et de sécurité sont celles déterminées par le Secrétariat d'État à la Jeunesse et aux Sports ». Quant à la surveillance sanitaire des élèves, elle est assurée par « un membre qualifié de l'équipe sous le contrôle d'un médecin ».

Notons que cette liste n'est pas limitative. La composition de l'équipe d'encadrement des classes de nature doit, en effet, être suffisamment souple pour qu'il soit possible d'y inclure d'autres personnes, tels que des élèves-professeurs d'éducation physique, des élèves-maîtres, des moniteurs de colonies de vacances ou de voile, etc.

Avant de définir les impératifs qu'implique la notion d'équipe éducative, précisons les secteurs d'intervention spécialisés prévus pour chacun des membres de l'équipe d'encadrement, par les textes réglementaires.

## L'instituteur.

C'est sur l'instituteur que pèse la responsabilité la plus lourde. Il est, en effet, totalement et constamment responsable d'un groupe d'enfants vivant dans des conditions particulières, loin de leur milieu familial et en régime d'internat. Cette responsabilité est d'une tout autre ampleur que celle qu'il a l'habitude d'assumer dans sa classe. Elle comporte trois facettes complémentaires. Elle est, tout d'abord, éducative. C'est à l'instituteur, en effet, qu'il appartient d'animer l'équipe d'encadrement. Elle est ensuite pédagogique, puisque c'est lui qui conduit les activités scolaires. Elle est enfin administrative, l'instituteur étant chargé d'assurer les liaisons avec le personnel d'hébergement, de prendre contact avec les personnalités locales (inspecteur départemental, maire, président du syndicat d'initiative, directeur de l'école de ski ou de voile, etc.), de visiter à son arrivée les locaux et d'en établir un état contradictoire, de rédiger enfin, au terme du séjour, un rapport général sur le fonctionnement de la classe de nature. Ajoutons que l'instituteur demeure en rapport constant avec les autorités de son département pour tout incident pouvant survenir en cours de séjour.

A cette compétence pédagogico-administrative s'ajoute, dans le cas des classes vertes « équitation », la nécessité d'une compétence sportive, puisqu'il est dit que l'instituteur « doit pouvoir participer effectivement aux activités équestres[21] », de manière

---

21. Circulaire du 26 juin 1972.

à être en mesure d'assumer dans toutes les activités de la classe verte « sa responsabilité de maître, dont il n'est à aucun moment de la journée déchargé ». Une telle responsabilité n'est pas sans décourager de nombreuses vocations. D'autant que les compensations sont minces, se limitant à une maigre rétribution, et n'allant même pas jusqu'à la possibilité légale pour le maître de s'octroyer, en classes de neige, quelques « descentes » au titre de sa propre détente (Circulaire du 14 novembre 1968).

Si les textes officiels insistent sur le fait que l'instituteur est « responsable du groupe et de ses activités[22] », ils sont, par contre, beaucoup plus discrets sur la formation des maîtres appelés à animer une classe de nature. La circulaire du 29 septembre 1971 y fait seule allusion, indiquant que le responsable des centres permanents de classes de nature est également appelé à jouer, « sur le plan départemental, un rôle fort important, en participant à l'animation des stages de formation et de sensibilisation des maîtres aux problèmes de l'environnement, en liaison avec les écoles normales ». Cette formation, qui apparaît de plus en plus nécessaire, se devrait d'aborder tous les problèmes relatifs au fonctionnement pédagogique et administratif des classes de nature. Elle devrait fournir aux instituteurs une initiation au mode de fonctionnement d'une collectivité éducative, en les éclairant notamment sur les problèmes posés par le groupe-classe, sur ceux découlant de la vie collective en dehors de l'activité scolaire, ainsi que sur les difficultés inhérentes à la constitution d'une équipe pédagogique. Sur le plan organisationnel, les enseignants devraient recevoir des informations sur la manière de préparer, matériellement et psychologiquement, une classe de nature. Ils devraient, en outre, être rompus aux techniques de l'étude du milieu, conçue comme point de départ et support de l'activité pédagogique. Il ne serait pas superflu non plus qu'ils bénéficient d'une première initiation aux pratiques

---

22. Circulaire du 27 novembre 1964.

sportives auxquelles vont s'adonner leurs élèves, de manière à pouvoir vivre la même situation éducative qu'eux, et être en état de négocier avec les moniteurs spécialisés les modalités des pratiques sportives, dans le but de les intégrer aux autres activités éducatives de la classe de nature. Il est indispensable enfin que l'instituteur soit apte à participer, en liaison avec l'animateur, à l'encadrement des activités post et périscolaires.

Au regard d'un tel programme de formation, la liste des réalisations est courte, au point que certains, là encore, parlent d'une « carence » du ministère de l'Éducation. Un embryon de formation est cependant en train de naître. C'est ainsi que des stages de dix jours sont actuellement organisés à l'intention des maîtres de classes de mer ou de classes vertes. Inaugurés en 1972, ces stages ont rassemblé, cette année-là, quarante instituteurs et institutrices dans un centre permanent de classes de mer. L'année suivante, trois nouveaux stages ont été organisés intéressant cent vingt maîtres. Ces stages se sont poursuivis en 1974 avec toujours un double apport d'information, à la fois théorique et pratique. L'École normale de Foix a, de son côté, mis en place, en 1974-1975, avec l'agrément ministériel, des stages de six semaines à l'intention des instituteurs de classes transplantées[23]. Signalons encore quelques stages de sensibilisation destinés aux inspecteurs départementaux de l'Éducation, aux directeurs et aux professeurs d'écoles normales. En 1974, des stages ont même été organisés à l'intention d'enseignants du second degré et de l'enseignement technique.

A cela s'ajoutent les diverses formations aux techniques d'approche écologique de l'environnement dispensées çà et là et qui, sans prétendre former des botanistes ou des géologues, font des maîtres de classes de nature des amateurs éclairés, maîtrisant certaines techniques de découverte et d'exploitation aptes en conséquence à initier leurs élèves à une lecture intelligente du

---

23. Voir *Rénovation Pédagogique*, dossier n° 3, CRDP de Toulouse, 1976.

monde naturel. Une formation de cette nature est décernée depuis 1970 par le Centre de gestion de l'Office national des forêts de Fontainebleau aux maîtres de l'arrondissement. Il serait intéressant de généraliser ce type d'initiatives en organisant des stages de découverte se rapportant à la montagne, à la mer ou à la campagne, avec le concours des Sociétés régionales de protection de la nature et de certains spécialistes du monde rural.

Quelques écoles normales conduisent, d'autre part, une expérience d'initiation des élèves-maîtres aux problèmes de la nature et de l'environnement[24]. Les centres permanents d'initiation à l'environnement sont également appelés, sous le contrôle des équipes départementales de rénovation et d'animation pédagogiques, à assurer aux instituteurs une formation initiale et continue concernant les problèmes de l'environnement. Des réalisations existent déjà qui laissent bien augurer de l'avenir[25]. Ajoutons enfin qu'une participation aux stages de base et de perfectionnement des CMEA ainsi que celle, en tant que moniteurs ou directeurs, à des colonies de vacances, ne peuvent être que bénéfiques pour les maîtres de classes de nature.

**L'animateur.**

L'animateur de classes de nature possède des fonctions variées et pas toujours très précisément définies. Les textes lui confient la tâche « d'orienter et de diriger les séances d'activités physiques et les séances d'activités complémentaires »[26], des classes de neige. Il doit, en outre, être à même de collaborer avec le moniteur de ski, « en particulier pour le dosage et la progression de cette initiation ». Le texte de base concernant les

---

24. Les écoles normales de Lons-le-Saunier, Quimper, Bordeaux, Clermont-Ferrand, Melun, participent à cette expérience.
25. Voir G. FARGES, « Une expérience de formation des maîtres », dans *Éducation et Développement, op. cit.*, pp. 58-60.
26. Circulaire du 27 novembre 1964.

classes de mer et les classes de nature n'indique rien des fonctions des deux « éducateurs de plein air » qu'il demande d'adjoindre à chaque classe. Il se contente de signaler qu'ils doivent avoir reçu une formation « pour l'encadrement des collectivités d'enfants ou d'adolescents »[27] et être, « dans le cas des classes de mer en particulier, qualifiés pour l'étude du milieu ». La Circulaire du 12 mars 1973 est plus explicite. Après avoir rappelé que les animateurs « peuvent assurer l'initiation sportive (ski, voile, natation...) », elle précise que « certains ont aussi pour mission d'animer avec les instituteurs les activités périscolaires nécessaires à l'enrichissement de la vie en groupe ».

Dans les faits, l'animateur prend en charge les enfants en dehors du temps scolaire. C'est ainsi notamment qu'il préside à leur lever, à leur coucher et à leurs repas. Il lui appartient également d'animer les activités de l'après-midi lorsque le ski ou la voile ne sont pas possibles, ainsi que les veillées et les promenades. Dans le cas des classes de neige, l'animateur participe à l'organisation des séances de ski, pouvant même prendre en charge un groupe d'enfants sur les pistes. En classes de mer, si l'animateur possède les diplômes nécessaires (CAEV), il participe à l'enseignement de la voile, sinon, il prête simplement son concours à la surveillance des enfants sur le plan d'eau, ou prend en charge ceux qui ne participent pas à la séance de voile. L'animateur prend également part aux activités de natation en fonction de sa qualification. Son rôle n'est, en effet, pas le même suivant qu'il est « maître-nageur-sauveteur » ou simplement « surveillant de baignade ».

Les textes précisent enfin que les animateurs, qu'ils soient rémunérés par les collectivités locales ou par les associations gestionnaires des centres d'accueil, peuvent bénéficier de la protection de la loi du 5 avril 1937, « dès lors qu'ils agiront dans le cadre d'une mission d'éducation et qu'ils se voient confier des

---

27. Circulaire du 6 mai 1971.

élèves[28] ». En ce qui concerne le recrutement des animateurs, le texte ministériel souligne que « bien qu'il ne soit pas défini pour le moment de conditions précises de recrutement, toutes les garanties nécessaires sur le plan de la santé, de la moralité et des compétences, sportives ou éducatives, devront être prises ». On peut, pour préciser les garanties que l'on est en droit d'exiger des animateurs, se baser sur celles prises en compte pour le recrutement des instituteurs remplaçants.

Les animateurs de classes de nature constituent actuellement un corps hétérogène, sans statut propre, dépourvu de toute garantie d'emploi et généralement fort mal rétribué. Les uns sont des animateurs généralistes dans le domaine socioculturel, aptes à diriger tout aussi bien des activités musicales, picturales, que des ateliers de confection d'émaux ou un ciné-club. D'autres sont animateurs sectoriels, spécialisés dans une technique particulière ou un secteur géographique donné : milieu rural, milieu urbain, etc. D'autres enfin n'ont aucune spécialité précise et leur seule compétence résulte de leur disponibilité. Notons qu'il n'existe pas actuellement d'« animateurs-nature » officiellement reconnus, malgré le besoin manifesté par les classes transplantées. La seule expérience que nous connaissions en ce domaine se déroule depuis 1970 à la Rochette, en Seine-et-Marne, où, grâce au Secrétariat d'État à la Jeunesse et aux Sports et à l'Association Seine-et-Marnaise pour la sauvegarde de la nature, sont formés des animateurs spécialisés dans la découverte de la forêt.

Recrutés au niveau du baccalauréat, formés par les CEMEA dans le cadre du monitorat des colonies de vacances, les animateurs de classes de nature sont, pour la plupart, d'origine urbaine. Certains estiment que cela représente pour eux un handicap, et qu'une origine rurale les mettrait mieux à même d'apprendre aux enfants à déchiffrer la nature. Signalons que

---

28. Circulaire du 12 mars 1973.

l'Association pour la formation des ruraux aux activités touristiques se déclare prête à participer à la formation de ces animateurs d'origine rurale.

Le seul sous-ensemble relativement cohérent à l'intérieur de l'ensemble hétéroclite des animateurs de classes de nature est celui des « Éducateurs en milieu marin ». Rétribués par les associations gestionnaires des centres permanents de classes de mer, ces « éducateurs » participent à l'enseignement de la voile tout en guidant les enfants dans la découverte du milieu marin. Ces garçons récusent d'ailleurs l'appellation d'animateurs qu'on leur attribue habituellement. Ils se veulent avant tout « homme du milieu marin », et se fixent comme objectif de faire vivre les enfants « au rythme de la mer », car, disent-ils, en classes de mer, c'est elle qui commande. Leur recrutement s'effectue au niveau universitaire, souvent en biologie ou sciences humaines. Quant à leur compétence, elle doit englober les techniques de la mer — navigation, natation, pêche — ainsi que celle de l'étude du milieu. Leur formation est prise en charge par l'association qui les emploie. Elle s'étale habituellement sur vingt-six mois, avec alternance d'activités théoriques et pratiques. Après avoir effectué deux fois deux mois de travail théorique à l'École normale, les futurs éducateurs accomplissent dix mois de stage en responsabilité dans une classe de nature, puis deux autres mois d'études à l'École normale.

D'autres filières de formation sont actuellement expérimentées. L'une d'elles consiste à donner à ces personnels une formation d'enseignant en utilisant les options « classes de mer » fonctionnant dans les Écoles normales des départements côtiers. Une autre laisse les éducateurs se former « sur le tas », dans le centre pilote de Moulin-Mer, où ils acquièrent des « unités de valeur », avec le concours de l'université de Bretagne et de l'École normale de filles de Quimper. Une troisième filière de formation possible est enfin constituée par l'IUT de Rennes (Département des Carrières Sociales) qui pourrait décerner aux éducateurs une formation théorique, la formation pratique s'effectuant grâce à des stages en classes de mer, à l'École normale, à l'École nationale de voile ou dans les CEMEA.

Rien de sérieux ne pourra cependant être réalisé en matière de formation des animateurs de classes de nature tant que ceux-ci ne seront pas reconnus officiellement et en bénéficieront pas du statut auquel ils ont droit. Aussi longtemps que les choses demeureront en l'état, les organisateurs de classes de nature en seront réduits, comme c'est souvent le cas aujourd'hui, à engager des animateurs sans compétence réelle, parfois dépourvus de toutes références, et ne connaissant ni les enfants, ni la nature, ni les activités qu'ils sont chargés d'animer.

### L'infirmière ou l'assistante sanitaire.

Alors que les textes relatifs aux classes de neige prévoient explicitement la présence d'une infirmière ou, à défaut, d'« une auxiliaire d'encadrement assistante sanitaire »[29] pour deux classes, si celles-ci sont implantées au même endroit, ceux se rapportant aux classes de mer et aux classes vertes se contentent de signaler que « dans chaque centre la surveillance sanitaire sera assurée par un membre qualifié de l'équipe sous le contrôle d'un médecin ».

Responsable de la santé des écoliers, l'infirmière doit s'informer, dès l'arrivée dans le centre d'accueil, de la possibilité de soigner ou d'évacuer d'éventuels malades, en prenant contact avec le médecin, le dentiste, le pharmacien, l'hôpital, l'ambulance, etc. Tout au long du séjour, c'est elle qui veille à l'hygiène corporelle, alimentaire et vestimentaire des enfants. Elle possède notamment droit de regard sur les menus des élèves, ce qui représente une tâche particulièrement importante eu égard au rôle joué par l'alimentation dans l'équilibre physique d'en-

---

29. Circulaire du 27 novembre 1964.

fants s'adonnant à une intense activité physique de plein air. En fin de séjour, l'infirmière est chargée d'établir un rapport sanitaire annexé au rapport général sur la classe de nature.

Le caractère vital des fonctions exercées par les assistantes sanitaires des classes de nature exigerait qu'elles soient toutes pourvues d'une compétence réelle — ce qui n'est pas toujours le cas — et qu'elles puissent justifier de la possession d'un diplôme de secouriste pour être en mesure, en cas d'accident, de prodiguer les premiers soins. Les maigres moyens dont disposent les organisateurs de classes de nature ne leur permettent pas toujours de recruter des infirmières qualifiées, ce qui n'est pas sans présenter de graves inconvénients quant au suivi sanitaire des enfants.

### Le moniteur de ski, de voile ou de natation.

« Habilité par les organismes compétents conformément aux règlements en vigueur[30] », le moniteur de ski ou de voile est « recruté généralement par les Services du département d'accueil ». Concrètement, ces moniteurs sont désignés par le directeur de l'école de ski ou de voile locale, à l'initiative du Service départemental de la Jeunesse et des Sports et de l'Association gestionnaire des centres permanents. Le nombre élevé d'enfants séjournant en classes de neige rend parfois difficile le recrutement d'un nombre suffisant de moniteurs. D'autant que si les moniteurs des stations modestes se réjouissent de cette clientèle enfantine qui meuble le creux des jours de semaine, il n'en va pas de même de leurs collègues des stations en renom qui méprisent une clientèle peu rentable. Aussi est-on souvent contraint d'établir des « roulements » entre classes de neige aboutissant à faire parfois pratiquer le ski aux enfants le matin. Ce qui n'est pas exempt d'inconvénients, les enfants se concen-

---

30. Circulaire du 27 novembre 1964.

trant difficilement sur une activité scolaire après s'être dépensés, la matinée durant, sur les pistes.

L'idéal serait que le ministère de l'Éducation soit en mesure de prendre en charge la formation et la rémunération de ses propres moniteurs, lesquels pourraient être des instituteurs pourvus d'un certificat d'aptitude spécialisé, avec option classes de neige ou classes de mer, et formés à la pratique et à la pédagogie du ski ou de la voile dans les Écoles normales des départements montagnards ou côtiers.

Ajoutons enfin que les moniteurs spécialisés ne se soucient pas toujours de s'intégrer à l'équipe d'animation de la classe de nature. Il leur arrive de se tenir en marge, exclusivement préoccupés de leur spécialité, ce qui n'est pas sans porter atteinte au caractère unitaire de l'action éducative en classes de nature. Ce qui ne veut pas dire pour autant qu'aucun lien n'existe entre le moniteur et l'équipe éducative. Lorsqu'il participe aux activités sportives, c'est l'instituteur lui-même qui établit ce lien. Le plus souvent, cependant, c'est l'animateur qui assure la liaison entre le moniteur et les autres membres de l'équipe éducative.

### L'animateur de centre permanent de classes de nature.

Nous avons vu que le Ministère a confié la responsabilité des centres permanents de classes de nature à des instituteurs détachés appelés à s'intégrer à l'équipe d'animation des classes transplantées. Encore peu nombreux, ces personnels peuvent cependant rendre d'éminents services, pour peu qu'ils acceptent de se cantonner dans le rôle que leur assigne la Circulaire du 29 septembre 1971. Avant de préciser ce rôle, le texte ministériel recommande, en effet, de veiller à ce que l'animateur permanent ne substitue pas sa propre responsabilité à celle de l'équipe d'encadrement et, plus précisément, à celle de l'enseignant, lequel « demeure responsable de sa classe en toutes circonstances ».

L'animateur permanent est chargé « d'établir avant, pendant et après le séjour, toutes les liaisons nécessaires avec les instituteurs des classes de mer et des classes vertes ». Si son rôle est parfois administratif, il est plus encore pédagogique. Le texte de 1971 le définit, en effet, comme « un conseiller sur le plan pédagogique ». En ce sens, il est chargé de guider ses collègues « dans l'étude de ce milieu qu'il connaît bien », et surtout de coordonner, « chaque fois que cela apparaîtra nécessaire, l'action du personnel d'encadrement — enseignants, élèves-maîtres, éducateurs, moniteurs sportifs, etc. —, de façon à en faire, malgré des origines parfois différentes, une équipe bien soudée ». Nous savons, par ailleurs, que l'animateur permanent joue également un rôle à l'égard des centres « satellites » dont il est « le conseiller, l'animateur pédagogique et, éventuellement, l'administrateur », en même temps qu'il participe à l'information des instituteurs sur les problèmes de l'environnement.

S'il est indispensable, ainsi que le prévoient les textes ministériels, d'opérer une répartition des tâches entre les différentes personnes participant à l'encadrement des classes de nature, cela ne doit cependant pas conduire à enfermer chacun dans sa spécialité, ce qui irait à l'encontre de la notion même d'équipe éducative. Notion qui n'apparaît d'ailleurs que tardivement dans les textes officiels. La Circulaire de 1964 sur les classes de neige ne fait allusion qu'à l'« encadrement » de ces classes. Celle de 1971, consacrée aux classes de mer et aux classes vertes, utilise l'expression « équipe d'encadrement », tandis que celle de la même année, traitant de la pédagogie des classes de mer et des classes vertes, évoque la nécessité d'« une équipe bien soudée ».

Bien des obstacles s'opposent, en classes de nature, à la constitution d'une équipe éducative cohérente et unie. Et tout d'abord la présence de l'animateur, dont les méthodes pédagogiques diffèrent de celles traditionnellement utilisées en classe, et

avec lequel le maître est appelé, pour la première fois, à partager
le « pouvoir ». A cela s'ajoute la difficulté qu'éprouve l'instituteur à animer une équipe qu'il ne connaît souvent pas, et dont la
compétence particulière de certains de ses membres les lui font
parfois percevoir comme des rivaux. Dans les centres permanents de classes de nature, l'instituteur, arrivé seul avec sa
classe et trouvant sur place des animateurs professionnels avec
lesquels il est contraint de composer, n'est pas forcément en
meilleure position.

Malgré les obstacles auxquels elle se heurte, la constitution
d'une équipe d'encadrement homogène s'avère cependant indispensable si on prétend conserver sa globalité à l'action éducative
en ne cloisonnant pas les diverses activités proposées aux enfants. Deux conditions sont nécessaires à la constitution et à la
survie de l'équipe éducative. D'une part, l'adhésion de ses
membres à une orientation pédagogique clairement définie,
d'autre part la possibilité pour ceux-ci de participer régulièrement à des séances de concertation au cours desquelles sont
librement débattus des problèmes relatifs au fonctionnement de
la classe de nature, une attention particulière étant portée à la
détermination et au suivi des activités pédagogiques.

L'équipe constituée, son bon fonctionnement résulte du respect de quelques règles simples. Il importe, tout d'abord, que
chacun des membres de l'équipe éducative soit parfaitement au
fait du fonctionnement administratif, matériel et scolaire de la
classe de nature, de manière à ce qu'une gestion collégiale
puisse s'instaurer et les décisions se prendre en toute connaissance de cause. S'il est, d'autre part, indispensable que chacun
œuvre de manière privilégiée dans le cadre de sa spécialité, il ne
doit cependant le faire qu'avec la participation des autres membres de l'équipe. Ce qui conduit chacun à s'intéresser, dans la
mesure de ses disponibilités, à des activités dont il n'a pas la
responsabilité directe. Ainsi, par exemple, s'il est logique que les
membres de l'équipe éducative se répartissent les tâches maté-

rielles de présence et d'aide relatives à la vie en internat des élèves, il est souhaitable, en revanche, que tous soient associés à l'action éducative, individuelle et collective, dont la vie quotidienne des élèves est l'occasion et sans doute le moment privilégié. Une attitude identique est également souhaitable à l'égard des activités scolaires et sportives. La répartition qui s'opère entre les membres de l'équipe quant à la conduite effective de ces activités — répartition qui s'efforce de maintenir un juste équilibre entre l'action du maître et celle de l'éducateur — n'exclut pas que tous mettent la main à la pâte lorsqu'il s'agit de définir et de préparer ces activités. Même chose encore à propos de la vie périscolaire. Une telle interpénétration des interventions permet à chacun de mieux connaître les enfants en même temps qu'elle va dans le sens de la cohérence et de l'unité de la démarche éducative.

### Une priorité : la sécurité des élèves[31]

La sécurité des enfants en classes de nature est l'une des préoccupations constantes de l'équipe éducative. Les premières règles de sécurité à respecter — dont il ne nous appartient pas de faire ici l'énumération — concernent les installations, ainsi que l'hygiène et la santé des enfants. Notons à ce propos que les textes officiels prévoient, pour les élèves des classes de mer et des classes vertes, une visite médicale « dans un délai maximum de trois jours avant le départ de la classe ». Consignés sur une « fiche sanitaire de liaison », les renseignements médico-sociaux concernant chaque enfant sont ainsi en permanence à la disposition du responsable de la classe de nature. Il appartient à celui-ci de faire figurer, en fin de séjour, sur cette fiche, les mensura-

---

31. L'énumération des textes relatifs aux consignes de sécurité en classes de nature figure dans l'*Annuaire des classes de nature* publié par la Fondation « Sauvons l'Avenir », pp. 42-44.

tions de l'élève ainsi que toutes les observations qu'il aura pu effectuer (Circulaire du 6 mai 1971).

Le second ensemble de règles de sécurité à ne pas transgresser se rapporte à la vie des enfants dans un milieu naturel particulier — mer ou montagne —, ainsi qu'à la pratique des activités de ski ou de voile.

En montagne, il importe, au début du séjour, de permettre au phénomène de l'acclimatation de se réaliser. On veillera également à prendre toutes les précautions qui s'imposent lors des randonnées diverses auxquelles sont conviés les enfants, même si celles-ci ne comportent pas d'importantes dénivelées (entraînement progressif, détermination d'un itinéraire ne comportant pas de difficultés majeures, équipement adapté, rythme régulier et lent de la progression, etc.). Quant à la pratique du ski, elle doit s'entourer, elle aussi, d'un maximum de précautions en vue de limiter les risques d'accident (préparation physique adaptée, choix d'un matériel de qualité, prise en compte de l'état de la neige, adoption d'une progression en rapport avec les possibilités des enfants, etc.).

La nature marine peut elle aussi receler bien des dangers qu'il est utile aux maîtres de classes de mer de savoir identifier. Ceux-ci apprendront vite à se méfier de la marée montante, à déjouer les embûches des rochers glissants, coupants ou instables, à éviter les vasières et autres sables limoneux, à éloigner les enfants des dunes, qui risquent de les ensevelir, et des falaises d'où ils peuvent tomber ou être victimes de chutes de pierres. Il n'est pas jusqu'aux épaves dont il faudra habituer les enfants à ne pas s'approcher, du fait de leur caractère parfois suspect.

La pratique de la voile n'est pas particulièrement dangereuse pour peu, là encore, qu'un certain nombre de précautions élémentaires soient prises. Que tous les enfants soient munis d'un gilet de sauvetage, par exemple, qu'on ne sorte pas par mer forte (vent force 3) et qu'un bateau de surveillance soit constamment présent sur le plan d'eau où évoluent les enfants.

### Un contrôle à préciser

Les classes de nature sont soumises à un contrôle administratif, matériel et pédagogique de la part des autorités du ministère de l'Éducation. Concrètement, ce contrôle est assuré par les autorités qualifiées du département d'accueil : Inspecteurs départementaux de l'Éducation et Inspecteurs de la Jeunesse et des Sports. Il peut l'être également par les Inspecteurs des départements d'origine « sous réserve d'un accord entre les Inspecteurs d'académie intéressés ». Ces personnels d'inspection contrôlent les installations matérielles, suivent les activités des personnels d'encadrement auxquels ils prodiguent suggestions et conseils, veillent enfin à la stricte application des consignes de sécurité.

Faute de temps, faute aussi de compétence réelle dans un secteur pédagogique très particulier, nombre d'Inspecteurs départementaux de l'Éducation ne situent pas les classes de nature au premier rang de leurs préoccupations. Des stages de sensibilisation et de formation s'avèrent, là encore, indispensables. Certains commencent d'ailleurs à se tenir. Mais il serait surtout nécessaire, pour que le ministère de l'Éducation puisse réellement s'arroger le contrôle effectif et strict de l'ensemble des classes de nature, qu'il en prenne en main la gestion pleine et entière, y compris et surtout sur le plan financier.

### Une nécessité : la préparation du séjour

La participation à une classe de nature est un événement trop important dans la vie d'une classe pour qu'elle ne la prépare pas

de manière minutieuse. Cette préparation, à laquelle les enfants
doivent être étroitement associés, constitue l'une des conditions
de réussite de la classe de nature. Les textes réglementaires
recommandent d'ailleurs une telle préparation. Ils souhaitent
que les candidatures des maîtres appelés à diriger une classe de
mer ou une classe verte soient retenues suffisamment tôt, de
manière à ce qu'ils puissent « dans les mois qui précèdent, avec
leurs élèves et éventuellement les éducateurs ou élèves-institu-
teurs susceptibles de les accompagner, se préparer aux tâches
qui les attendent[32] ».

La préparation la plus lointaine consiste à soumettre les
enfants à un entraînement physique progressif destiné à leur
permettre d'aborder dans de bonnes conditions les activités
sportives de la classe de nature. Ce que la Circulaire du 26 juin
1972 signale à propos de la préparation à la pratique de l'équitation, vaut pour celle du ski ou de la voile. « Les enfants doivent
être préparés physiquement et psychologiquement, écrit le texte
ministériel ; seuls peuvent partir en classe verte 'équitation' des
classes où l'éducation physique et sportive peut être adaptée,
pendant les semaines qui précèdent le départ, à la préparation de
l'activité équestre. »

La préparation doit être ensuite matérielle, administrative et
financière. Il appartient aux enfants, conseillés et secondés par
le maître, de prendre les contacts qui s'imposent en vue de
trouver un hébergement, de résoudre le problème financier et de
constituer l'équipe d'encadrement. C'est avec celle-ci ensuite
que le maître et les enfants établissent les grandes lignes de
l'emploi du temps de la classe de nature, de manière à ce que
celui-ci bénéficie d'un consensus général. Notons que les classes
fonctionnant suivant le mode coopératif se livrent sans difficulté
à ce type de préparation. Quant aux autres, cette préparation
leur procure une intéressante occasion d'innovation. Les enfants

---

32. Circulaire du 29 septembre 1971.

ayant participé à sa mise en place, la classe de nature devient leur affaire. L'ayant prise en charge avant qu'elle ne débute, ils continueront tout naturellement à le faire lorsqu'elle fonctionnera, ce qui représente pour elle un évident gage de succès sur le plan éducatif.

Participer à l'élaboration de leur classe de nature constitue pour les enfants la meilleure préparation psychologique au dépaysement qu'ils vont connaître. Une telle préparation ne concerne cependant pas uniquement les enfants. Elle s'adresse également aux parents qui manifestent parfois quelques inquiétudes à l'idée d'abandonner, trois semaines durant, leur progéniture. Pour dissiper cette inquiétude, et éviter qu'elle ne se communique aux enfants, une réunion s'impose, au cours de laquelle il convient d'insister sur les bénéfices que procurent habituellement les classes de nature aux enfants, ainsi que sur le luxe de précautions prises pour assurer leur sécurité. Si une première visite au futur lieu de séjour a déjà été effectuée par le maître et quelques élèves, le moment est venu de montrer les diapositives qu'on en a rapportées. C'est le moment aussi de présenter aux parents l'équipe d'animation, qui partagera la vie de leurs enfants.

Celle-ci — cela constitue d'ailleurs une prescription réglementaire[33] — doit être en effet réunie avant le départ. L'objectif étant de faire connaissance, mais aussi de définir des finalités communes et de prévoir, avec les élèves, les grandes lignes du fonctionnement de la classe de nature. Ces rencontres doivent surtout aboutir à l'élaboration de conditions favorables à la constitution d'une équipe d'encadrement homogène susceptible de pratiquer une action éducative cohérente tout au long des divers moments de la journée en classe de nature.

L'heure est enfin venue pour le maître et les enfants d'assurer la préparation pédagogique de la classe de nature. Celle-ci

---

33. Cf. Circulaire du 27 novembre 1964.

consiste, tout d'abord, à rassembler une documentation, la plus nourrie possible, sur la région dans laquelle on va séjourner (diapositives, cartes topographiques, touristiques, géologiques, photos terrestres et aériennes, textes et ouvrages historiques ou géographiques, etc.). Il est également conseillé d'entrer en correspondance avec les élèves de la classe locale, de manière à faire connaissance et à obtenir des documents sur la région d'accueil. (Ce contact pris, les enfants se sachant attendus par leurs correspondants verront leur curiosité et leur désir de partir avivés.)

Cette documentation réunie, on en commence l'exploitation. Non seulement dans le cadre des activités d'éveil, mais également dans celui des activités mathématiques ou d'expression orale et écrite. Œuvrant sur ces documents, les classes, dont la méthode de travail demeure quelque peu traditionnelle, se préparent efficacement à la pédagogie concrète et active dont elles useront en classe de nature. Avant même de commencer, celle-ci introduit un ferment d'innovation dans la classe, répondant ainsi à l'un de ses objectifs principaux.

La conclusion qui s'impose, au terme de cette étude des problèmes de gestion et d'organisation des classes de nature, est la nécessité de singulièrement compléter et adapter la législation propre à ces classes. Les classes de neige, notamment, dans lesquelles le phénomène « classes de nature » trouve son origine, continuent à être pénalisées de leur précocité. Il convient également de souligner l'obstacle que constitue, pour le développement des classes de nature et la rationalisation de leur organisation, l'inexistence ou le caractère dérisoire de la participation financière de l'État. Tant que le ministère de l'Éducation ne sera pas en mesure de prendre en charge l'essentiel des frais de fonctionnement de ces classes, celles-ci demeureront un épiphénomène de notre système éducatif, incapables, en conséquence, de le faire évoluer de l'intérieur. Incapables également de constituer l'exutoire dont ont besoin les masses d'enfants englués dans une civilisation urbaine oppressante et traumatisante.

## CHAPITRE V

## LA PÉDAGOGIE DES CLASSES DE NATURE

On ne s'est que tardivement soucié de donner aux classes de nature une dimension pédagogique. Longtemps, les classes de neige notamment se sont contentées de juxtaposer, sans chercher à les intégrer dans une perspective éducative unitaire, les activités d'une scolarité traditionnelle, la pratique du ski, et un certain nombre d'activités socioculturelles du type de celles pratiquées en colonies de vacances. Prêchant, en 1970, en faveur de l'élaboration d'une « pédagogie des neiges »[1], nous le faisions dans le désert, sans beaucoup d'espoir d'être entendu. Il existe d'ailleurs, aujourd'hui encore, des classes de neige qui proposent aux enfants des activités cloisonnées, les unes attractives comme le ski, et les autres répulsives, comme le travail scolaire. Nous connaissons des classes de neige qui ignorent résolument le milieu exceptionnel dans lequel elles baignent et se livrent à une activité scolaire rigoureusement identique, dans son conformisme et sa routine, à celle pratiquée en ville. « Hélas ! écrivait en 1965 B. Girod de L'Ain, la plupart des classes de neige donnent l'impression d'être aussi 'closes' sur elles-mêmes qu'à la ville et sans contact avec l'extérieur[2]. » On aimerait qu'il n'en fût plus tout à fait de même douze ans plus tard.

Les promoteurs des classes de mer, et plus précisément les membres de l'Équipe académique de Rennes, ont, très tôt, attiré l'attention sur le danger de sclérose qui guettait ces classes. Pour

---

1. Voir notre ouvrage *Les Classes de neige et le tiers-temps pédagogique*, Coll. « Sup. L'Éducateur », PUF, Paris, 1970.
2. *Le Monde* du 11 déc. 1965.

leur permettre de réaliser toutes leurs virtualités éducatives, ils ont jeté les bases d'une pédagogie rénovée, dont les études rendues possibles par le milieu marin constituent le point de départ, mais qui dépasse très largement le cadre d'une pédagogie spécifique des classes de mer. Alors, d'autre part, que les textes régissant les classes de neige mettent toujours leur point d'honneur à ne prodiguer aucune directive pédagogique, la Circulaire du 6 mai 1971 consacrée aux classes de mer et aux classes vertes situe d'emblée celles-ci dans une perspective de rénovation pédagogique. Les préoccupations pédagogiques des classes de mer et des classes vertes ne sont d'ailleurs pas allées sans influencer les classes de neige, et on peut affirmer qu'aujourd'hui, dans leur ensemble, les classes de nature pratiquent une pédagogie active et libérale, dans le droit fil de l'actuelle rénovation de nos méthodes d'enseignement.

Si les classes de neige sont nées sous le signe du mi-temps pédagogique et sportif, ce qui entraînait une regrettable dichotomie entre les activités scolaires et sportives, chacune bénéficiant de sa finalité et de ses méthodes propres, les classes de mer et les classes vertes ont été conçues dès l'origine comme des terrains d'application du tiers-temps pédagogique, tel que le définissent les Instructions ministérielles de 1969. La seconde génération de classes de neige s'est d'ailleurs, elle aussi, mise à l'unisson du tiers-temps et de la rénovation pédagogique. Les classes de nature constituent, en effet, une structure idéale pour l'application, non seulement de la lettre du tiers-temps, qui répartit les enseignements élémentaires entre les disciplines fondamentales (français et calcul), les activités d'éveil et l'éducation physique et sportive, mais également, et surtout, de son esprit, lequel suppose la réalisation d'une continuelle osmose entre ces trois secteurs d'activités.

Au point de départ de la pédagogie des classes de nature, la présence d'un milieu naturel et humain puissamment original, et, qui plus est, inconnu des enfants, ce qui a pour effet d'aiguiser leur curiosité et de maintenir en éveil leur soif de découverte. L'éducation physique et sportive pratiquée en classes de nature est elle-même directement liée au milieu naturel, dans la mesure où elle s'incarne dans des pratiques qui représentaient, originellement, une adaptation de l'homme à la vie en montagne, à la campagne ou à la mer. Pratiquer le ski, la voile ou l'équitation représente donc pour les enfants le moyen de faire corps avec l'environnement naturel, de s'y intégrer de manière intime. L'étude de ce milieu s'impose d'elle-même dans ces conditions, en même temps qu'elle se révèle très rapidement passionnante pour l'enfant. « Observer, déduire, conclure, c'est le triptyque, la règle d'or des classes de mer[3]. » On pourrait en dire autant de toutes les autres classes de nature. On pourrait ajouter que ce « triptyque » définit, en fait, la méthode expérimentale à laquelle les classes de nature ont, entre autres, pour rôle d'initier les enfants.

Mais l'étude du milieu n'est pas pratiquée en raison de ses seules richesses intrinsèques. Elle l'est aussi en temps que « tremplin » pour les apprentissages fondamentaux. Ainsi, se réalise tout naturellement, en classes de nature, l'intégration complète de toute la gamme d'activités entrant dans le cadre du tiers-temps pédagogique. La vie en classe de nature ne se limite cependant pas à la pratique d'une activité scolaire, aussi riche et diversifiée fût-elle. L'enfant participe, en outre, au cours de la journée, à deux autres types d'activités dont l'importance comme vecteurs éducatifs n'est pas à négliger. Les unes, de type matériel, se rapportent à la vie quotidienne de l'enfant, au sens le plus banal du terme, comme se lever, se laver, se restaurer, se coucher, etc. Les autres, de type périscolaire, sont pratiquées en fin d'après-midi ou en soirée. Elles peuvent comprendre d'éventuels prolongements de l'étude du milieu, la pratique de l'art dramatique, de la musique, de la lecture récréative, de la

---

3. D. DE ROSIÈRE, dans *L'Éducation*, 17 oct. 1968.

correspondance, ou tout simplement du jeu. L'une des principales difficultés rencontrées par les animateurs des classes de nature réside dans l'intégration de ces activités plus ou moins marginales au projet éducatif qui sous-tend les pratiques scolaires. Nous savons déjà que la cohérence de ces différents secteurs d'activités ne peut résulter que de celle de l'équipe éducative elle-même.

## L'emploi du temps

C'est dans le domaine de l'organisation du temps que se manifeste le plus nettement la différence qui, sur le plan réglementaire, oppose les classes de neige aux autres classes de nature. La Circulaire du 27 novembre 1964 consacrée aux classes de neige stipule que « l'emploi du temps et le programme sont arrêtés en vue de permettre quotidiennement, au cours d'une demi-journée, la pratique des activités de plein air d'hiver, ski en particulier ». Ce qui revient à scinder la journée en deux tronçons distincts et à réaliser de simples « classes de ski » et non de véritables « classes de neige ». Nous éprouvons, pour notre part, quelques difficultés à saisir les raisons pour lesquelles la réglementation qui, en 1971, a placé les classes de mer et les classes vertes sous le signe du tiers-temps, n'a pas étendu cette mesure aux classes de neige.

Si la Circulaire du 6 mai 1971 rappelle qu'en classes de mer et en classes vertes l'emploi du temps « devra toujours permettre un travail scolaire conforme au programme de la classe et aux instructions concernant le tiers-temps », elle insiste également sur la nécessaire souplesse de cet emploi du temps. « L'emploi du temps, écrit le texte ministériel, sera fixé de manière souple par l'équipe d'encadrement pour permettre une heureuse osmose ou une alternance des activités physiques et intellectuelles et pour tenir compte des circonstances locales (conditions atmosphériques, heures des marées, etc.). » Seules contraintes, en effet, pour les classes de mer et les classes vertes, les dix heures hebdomadaires d'enseignement de français et les six heures de calcul. Le reste de la semaine, dont le mercredi tout entier, peut être librement utilisé pour la pratique des activités d'éveil et des activités sportives, les conditions atmosphériques en classes de mer et en classes vertes, l'horaire des marées en classes de mer déterminant la part et le moment de la journée consacrés à ces deux types d'activités complémentaires. M. Kerhoas insiste sur le caractère indispensable d'une telle souplesse horaire en classes de mer :

> Le rythme de la marée commande la vie des écoliers. La météo s'en mêle. Le vent se lève, ou menace de se lever, et la sortie sur l'eau est remise... Pas d'horaire rigoureux possible : il faut même parfois improviser. Mais, si l'emploi du temps rituel est bousculé, la reprise de contact avec la nature et l'adaptation nécessaire à son rythme présentent des avantages bénéfiques[4].

L'étude du milieu suppose la présence dans l'emploi du temps de larges plages d'activités et une grande souplesse dans la disposition de ces plages au cours de la journée et de la semaine. C'est ainsi, par exemple, qu'on doit pouvoir conduire à son terme une enquête nécessitant plusieurs jours de travail, quitte à « récupérer » par la suite le déficit horaire subi par les autres activités.

La souplesse de l'emploi du temps en classes de nature ne le fait plus apparaître comme un cadre a priori dans lequel l'enfant est contraint de s'insérer. L'emploi du temps fait, au contraire, figure de structure mobile, à mailles lâches, apte à la fois à respecter l'individu et à faciliter la vie collective. Ce que reconnaît un parent d'élève lorsqu'il écrit : « La plus grande liberté dont les enfants pouvaient jouir leur permettait de suivre un

---

4. M. KERHOAS, dans *Pourquoi*, juillet-août 1970, nº 67, p. 57.

rythme très personnel, de jouer aux jeux qu'ils aimaient, de découvrir un monde de plantes et de bêtes, sans contraintes pédagogiques. »

La souplesse que nous revendiquons dans l'agencement des activités en classes de nature suppose en contrepartie beaucoup de rigueur dans leur organisation d'ensemble. Ménager d'importants moments de liberté aux enfants, prévoir des plages d'activités suffisamment larges et mobiles pour parer à toute éventualité, accepter des permutations lorsque des raisons impératives les justifient, ne signifient pas pour autant qu'on prétende faire l'économie d'un emploi du temps structuré et livrer la classe de nature à une improvisation quotidienne. Ni la vie matérielle, ni la vie pédagogique des enfants ne peuvent s'accommoder de l'absence de tout schéma d'organisation temporel. Si la souplesse est la première règle à respecter en matière d'emploi du temps, l'intégration des activités est la seconde.

La journée en classes de nature se partage, nous l'avons vu, entre trois types d'activités complémentaires. Celles proprement scolaires, qui englobent chacune des trois rubriques du tiers-temps, les activités périscolaires, qui prolongent ou complètent les précédentes, tout en étant davantage centrées sur les loisirs des enfants, les activités relatives à la vie quotidienne des enfants en internat enfin : repas, repos, hygiène, etc. Si on admet que chacune de ces activités, aussi banale qu'elle paraisse, peut être l'occasion d'une intervention éducative ; si, d'autre part, on affecte à la classe de nature un objectif éducatif global, en ne la limitant pas à des objectifs éducatifs sectoriels, il est manifeste qu'il convient de proscrire toute ségrégation, non seulement entre les trois moments du temps scolaire, mais également entre les trois secteurs d'activités qui occupent la journée des enfants. Considérer ces secteurs comme interdépendants constitue le seul moyen d'aboutir à une action éducative d'ensemble en classes de nature.

Les textes réglementaires ne vont cependant pas aussi loin

dans la recherche d'une conception unitaire de la journée en classes de nature. Ils se contentent de déclarer souhaitable l'unité des différents moments de l'activité scolaire dans le cadre du tiers-temps. Plaidant pour la pratique de l'interdisciplinarité en classes de nature, la Circulaire du 29 septembre 1971, consacrée à la pédagogie des classes de mer et des classes vertes[5], déclare : « A une journée qu'on aurait pu, à la limite, imaginer divisée en deux parties, l'une sportive, l'autre scolaire, se substitue une journée continue dont toutes les activités s'inscrivent dans l'étude du milieu. » Il est souhaitable, nous l'avons vu, que l'emploi du temps de la classe de nature soit élaboré, avant le départ, par l'équipe éducative tout entière. Il en va parfois tout autrement, surtout lorsqu'il s'agit de classes adeptes du mouvement Freinet. Maîtres et enfants attendent alors que l'emploi du temps s'organise de lui-même et de manière naturelle, les élèves bénéficiant seuls du droit d'initiative. Les premiers jours sont habituellement remplis d'une profusion de jeux. On ne pense qu'à « se saouler de cette liberté suscitée par le cadre et le mode de vie nouveau[6] ». Puis les choses peu à peu se structurent. Ce qui n'empêche pas l'emploi du temps de demeurer particulièrement mouvant, à l'image des marées et du temps océanique, les enfants décidant le matin même du programme de la journée.

Ces deux impératifs généraux énoncés — souplesse de fonctionnement et intégration des activités —, nous nous proposons, à titre d'exemple, de donner les emplois du temps les plus couramment utilisés dans les trois catégories de classes de nature.

Non encore dépourvu d'une certaine rigidité, l'emploi du temps en classes de neige comporte habituellement trois heures quotidiennes d'activités scolaires (disciplines fondamentales et

---

5. Notons que les classes de neige n'ont jamais eu droit à un texte ministériel définissant leurs grandes orientations pédagogiques.
6. J. CHASSANNE, « Une classe-montagne en Lozère », dans L'Éducateur, n° 8, 30 janvier 1976.

étude du milieu), trois heures de ski, deux heures d'activités artistiques et d'éveil, ainsi qu'une heure de « veillée éducative » ou « veillée de jeu ». L'agencement de ces diverses activités est directement fonction des conditions climatiques. Le ski est généralement pratiqué en début d'après-midi au moment de l'ensoleillement maximum. Le matin, frais et dispos, les enfants s'adonnent aux disciplines fondamentales, français et calcul, en même temps qu'ils se livrent aux enquêtes dans le milieu. En fin d'après-midi, ils pratiquent des activités artistiques ou exploitent et mettent en forme les résultats des enquêtes du matin. Voici un emploi du temps-type pour une journée en **classes de neige**[7] :

Lever : 7 h 30 — 8 h.
Petit déjeuner : 8 h 30.
Classe : 9 h à 12 h (français, calcul, enquêtes).
Repas : 12 h 15.
Ski : 13 h 30 à 16 h 30.
Goûter et douches : 16 h 30 à 17 h 30.
Disciplines d'éveil et disciplines artistiques : 17 h 30 à
    19 h 30.
Repas : 19 h 30 à 20 h.
Veillée éducative ou veillée de jeux : 20 h à 21 h.

En **classes de mer,** les enfants se consacrent chaque jour, trois heures durant, aux disciplines de base, deux heures aux activités d'éveil, deux heures aux activités physiques et deux heures aux activités artistiques. Ce qui donne l'emploi du temps-type suivant :

7 h : Lever, toilette, petit déjeuner.
8 h à 11 h 30 : Classe (français, calcul) coupée par une
    récréation.
11 h 30 à 12 h : Jeux collectifs.

---

7. Cf. *La Documentation Française Illustrée,* n° 273, avril 1972. Voir d'autre part, dans la brochure éditée par le Service des classes de nature de Paris, l'emploi du temps proposé pour les classes de neige de la capitale (p. 33).

12 h à 12 h 45 : Déjeuner.

12 h 45 à 14 h : Sieste, lecture, courrier.

14 h à 17 h : Activités physiques ct de plein air : voile, natation, jeux de plage, pêche, promenades, enquêtes-découvertes, etc.

17 h : Goûter.

17 h 15 à 19 h : Activités d'éveil : exploitation des enquêtes, travail manuel, dessin, chant.

19 h à 20 h : Dîner et temps libre.

20 h à 20 h 30 : Veillée avec chants, films, jeux calmes, lectures, causeries, dialogues, etc.

20 h 30 à 21 h : Toilette et coucher.

Le dimanche, cet emploi du temps est modifié. Pas de classe ni de séance de voile ou de natation, mais des promenades et d'éventuelles excursions.

Rappelons que cet emploi du temps n'est qu'indicatif, car il lui arrive fréquemment d'être bouleversé. Deux activités priment, en effet, en classes de mer : les promenades de découverte à marée basse et la pêche d'une part, la pratique de la voile d'autre part. Or, le propre de ces activités est d'être l'une et l'autre sous la dépendance de l'horaire des marées, lequel conditionne par là même l'emploi du temps. Ainsi, lors des grandes marées, les basses eaux se situant parfois à l'heure du déjeuner, il importe d'en tenir compte et de modifier en conséquence l'emploi du temps. Voici, à titre d'exemple d'adaptation que peut subir en classes de mer un emploi du temps-type, le programme détaillé de deux jours quelconques de la semaine pour une classe de cours moyen[8] :

*Samedi :*

9 h 30 à 12 h : Classe.

— Calcul : vitesse du courant (d'après des relevés effectués la veille).

---

8. D'après *La Documentation Française Illustrée, op. cit.,* p. 49.

— Français : rédaction du journal de bord, puis lettres à des camarades demeurés en ville.

12 h à 13 h : Relevé des mesures de l'« Optimist ».

14 h 30 à 16 h 30 : Activités nautiques.

17 h à 18 h 30 : Enquête auprès du gérant de la coopérative sur la coquille Saint-Jacques.

18 h 30 à 19 h 30 : Matelotage : nœuds et cordages.

*Mardi*

9 h 30 à 13 h : Sortie en bateau :
— Géographie de la rade.
— Visite du parc à huîtres.

14 h 30 à 16 h 30 : Classe.
— Expression orale : compte rendu de la visite.
— Croquis sur le cahier de travaux pratiques d'un parc, d'un « bouquet de tuile », de coquilles d'huîtres, bigorneaux-perceurs, etc.
— Trois groupes de travail :
  • Journal de bord.
  • Classification de coquillages.
  • Travail manuel : mobiles en poissons de papier.

17 h à 18 h 30 : Visite de l'église du village.

18 h 30 à 19 h 30 : Étude de cartes.

L'emploi du temps en **classes vertes** présente une souplesse tout aussi grande. Ce ne sont plus cette fois les impératifs de la marée ou du temps qui priment, mais ceux des enquêtes effectuées dans le milieu. La matinée est généralement consacrée au français et au calcul, l'après-midi étant réservée aux enquêtes et à leur exploitation en classe. Entre 17 et 19 h, les enfants se livrent habituellement à l'éducation physique et sportive (jeux collectifs, canoë, escalade, etc.).

### La relation adulte-enfant

L'Institution scolaire a trop tendance encore à imposer une image artificielle du maître en ne le présentant que comme détenteur du savoir — et donc du pouvoir — dans la classe. Il en résulte que les élèves ne voient habituellement en lui que la fonction qu'il représente, le rôle qu'il joue, et plus rarement l'individu singulier qu'il est réellement. Ce qui les conduit à éprouver quelques difficultés à imaginer leur maître dans des situations non scolaires. Une telle perception du maître par les élèves n'autorise guère que des échanges factices, à caractère « technique », en rapport avec les rôles joués par chacun, celui de dispensateur de connaissances pour le maître, de récepteurs pour les enfants-élèves. Ce qui constitue la personnalité véritable des partenaires en présence, leur épaisseur humaine, n'intervient guère dans ce type d'échange. Il ne peut donc y avoir « communication » au vrai sens du terme.

En classes de nature, les données du problème sont tout autres, ce qui permet à un nouveau type de relation adulte-enfant de se faire jour. Un facteur non négligeable d'évolution réside dans le désir de changement plus ou moins consciemment éprouvé par le maître qui décide de se rendre en classe de nature et son aspiration à des relations plus authentiques avec ses élèves. Le seul fait de se porter volontaire pour participer à une classe de nature est, en effet, l'indice d'une certaine ouverture vers quelque chose d'autre qui aura tout loisir de se préciser à la mer ou à la montagne.

Les caractéristiques de la classe de nature font, d'autre part, que l'image du maître se modifie dans l'esprit des élèves. Essentiellement parce qu'ils le voient affronté à des situations qui ne sont pas toutes d'ordre scolaire. Le maître, en classe de nature, est un adulte comme un autre, qui partage le repas des enfants, chante avec eux à la veillée, prend sa part de corvées et de jeux, et auquel chutes de ski et dessalages ne sont pas plus épargnés qu'à eux-mêmes. Un adulte dont la mission n'est plus d'enseigner, mais de vivre avec les enfants et, parce qu'il est plus grand, plus fort et plus expérimenté qu'eux, de leur venir en aide, de les conseiller et, au besoin, de les réconforter. Un adulte pour qui border un enfant dans son lit est un geste naturel. Un adulte enfin qui ne peut plus être « le maître » étant tout à la fois le père, le grand frère et l'ami des enfants.

En classe de nature, le maître n'est plus seul, contraint qu'il est de partager son « pouvoir » institutionnel avec l'équipe éducative. Ce fait, dont les enfants ont conscience, contribue lui aussi à désacraliser l'image du maître. Celui-ci ne fait plus figure de potentat aux pouvoirs discrétionnaires, devant qui l'enfant ne peut que s'incliner. Il devient un individu œuvrant avec d'autres individus responsables pour que la classe de nature fonctionne le mieux possible. Un individu qui, n'étant plus omniscient, n'hésite pas à consulter les enfants lorsqu'un problème en rapport avec la vie collective se pose.

Le changement d'attitude du maître se manifeste également dans l'exercice de sa fonction officielle. Il n'est plus, en effet, celui qui sait, imposant le savoir à ceux qui ne savent pas. Il est, au contraire, celui qui collabore à un projet commun, la découverte du milieu physique et humain dans lequel il a choisi de vivre, trois semaines durant, avec ses élèves. Il ne s'agit plus, dès lors, de distribuer et de recevoir des connaissances, mais de s'organiser pour glaner dans le milieu les informations qui, exploitées, commentées, prolongées, se transformeront en connaissances. Le maître en ce domaine ne se distingue plus des élèves, car il cherche et réfléchit avec eux, éprouvant tout comme eux la joie de la découverte ou la déception de l'échec.

La classe de nature joue donc à l'égard des élèves le rôle d'un révélateur. Elle les conduit à découvrir un homme, avec son caractère particulier, ses qualités et ses défauts, là où ils étaient accoutumés à percevoir une entité vivante qu'ils baptisaient « le maître ». De nombreux enfants portent témoignage de cette révélation que leur a apporté la classe de nature. « Le séjour nous a permis de découvrir M. C., écrit la petite Sylvie, élève d'un CES. Au départ, il n'était pour nous qu'un « pion » du CES, son rôle était de surveiller et de mettre des avertissements. Très vite, nous nous sommes aperçus qu'il avait les qualités d'un véritable éducateur : il nous donnait des explications, relançait les débats, nous aidait dans nos comptes rendus[9]. » « A Moulin-Mer, écrit un enfant à ses parents, le maître d'école est un bon copain qu'on embrasse. »

Il arrive, au début, que cette attitude nouvelle de l'adulte désoriente les enfants. Cela peut même les conduire à une certaine forme d'agressivité. Très rapidement cependant, tout rentre dans l'ordre, dès lors que le maître accepte d'être considéré de manière inhabituelle et que les élèves prennent conscience de la cohérence existant entre la nouvelle attitude de l'adulte et les circonstances particulières de la classe de nature. De nouvelles relations s'instaurent alors — d'autant plus aisément que le maître apprend en classe de nature à mieux connaître ses élèves —, des relations à base d'estime et de confiance réciproques. Une communication authentique est dès lors possible entre l'adulte et l'enfant, dont il arrive souvent qu'elle se prolonge au-delà de la classe de nature.

### Les activités physiques en classes de nature

Nombreux sont encore ceux qui réduisent la finalité des classes de nature à la pratique d'une activité sportive originale : ski, voile, natation, équitation. Ce qui est le souvenir dans les esprits de la première génération de classes de neige, dont le but premier était, nous l'avons vu, d'introduire la pratique du ski

---

9. « Les classes de mer », dans *Pédagogie, op. cit.,* p. 64.

dans les programmes scolaires. Si les classes de nature ont acquis depuis une autre dimension, elles l'ont cependant fait sans rien sacrifier de l'intérêt qu'elles portent aux activités physiques. Elles se sont simplement efforcées de retrouver la finalité originelle de celles-ci, ce qui leur permet de les pratiquer dans un tout autre esprit que celui, habituel, de la compétition.

Plutôt, en effet, que sous la forme de compétitions sportives, l'éducation physique est pratiquée en classes de nature par le biais d'activités « de pleine nature », issues chacune d'anciens moyens utilitaires de déplacement, comme la marche, la course, la varappe, le ski, la navigation ou l'équitation. Les activités physiques sont donc pour les élèves beaucoup plus que la simple occasion de faire jouer leurs muscles. Elles sont un moyen de pénétration de la nature, et un élément facilitateur pour la découverte et l'appréhension du milieu naturel. Au même titre que toutes les autres activités pratiquées en classes de nature, elles s'intègrent donc dans un projet éducatif d'ensemble. Ce n'est pas pour elles-mêmes qu'elles sont pratiquées, mais en fonction du rôle qui leur est assigné dans une conception éducative globale. Rôle qui va de l'acquisition d'une musculature souple et déliée à celle d'un caractère bien trempé, en passant par l'épanouissement général de la personnalité découlant de la pratique d'une activité dispensatrice d'un plaisir de qualité. Si toutes les classes de nature s'adonnent aux activités physiques, elles le font cependant à des degrés divers. Alors que beaucoup de classes de neige ne vivent encore que pour le ski — et le seul ski de piste — négligeant de s'intéresser à l'environnement montagnard, les classes de mer, même si elles ne se conçoivent pas sans bateaux, se refusent à être de simples classes de voile, considérant la pratique de celle-ci non comme une activité autonome, portant sa fin en soi, mais comme un instrument de saisi du milieu marin. Saisi qui, en ce qui concerne les classes vertes, s'opère le plus souvent directement, sans l'intermédiaire d'aucune activité sportive privilégiée.

Six après-midi par semaine, ou éventuellement trois matinées et trois après-midi en alternance, sont consacrées au ski en classes de neige. Chaque séance dure deux heures, et la pédagogie mise en œuvre dans cet apprentissage se doit d'être particulièrement adaptée. Sport difficile, qui peut se révéler rebutant pour de jeunes enfants, le ski suppose qu'on respecte, en l'enseignant, quelques règles élémentaires, éprouvées depuis longtemps. (Ce qui revient à dire — notons-le au passage —, la finalité des classes de neige n'étant pas de former des champions, que la valeur pédagogique de l'enseignant doit l'emporter sur sa virtuosité technique.) Ce qu'il convient en premier lieu de ne pas perdre de vue, c'est qu'il importe avant tout de laisser jouer les enfants en bannissant tout enseignement théorique et dogmatique. Les élèves ne doivent jamais être soumis à de longues périodes d'immobilité durant lesquelles, minutieusement, le moniteur explique un mouvement. Le froid et l'ennui auraient tôt fait de les gagner. La démonstration suivie de l'exécution immédiate vaut toutes les explications. Gardons-nous surtout de vouloir imposer un « style » aux enfants. Chacun possède le sien qu'il lui appartient de découvrir, d'affirmer. Quant au terrain d'exercice, on doit en changer souvent, pour éviter, là encore, l'ennui des enfants, mais aussi l'inconvénient qu'en fin de séjour ils ne sachent skier que sur une piste donnée.

Si on prend la précaution de faire l'économie de l'étape préparatoire du « chasse-neige », les progrès réalisés par les enfants sont habituellement rapides et les « Étoiles » obtenues en fin de séjour récompensent leurs efforts. Enseigné de manière progressive et pratiqué avec modération par les plus jeunes enfants, le ski possède une indéniable valeur éducative. École d'endurance, il permet en outre d'accéder à la maîtrise du corps et des réflexes. Sur le plan physique, il aère l'organisme et vivifie les muscles en même temps qu'il permet d'acquérir adresse et équilibre. Sur le plan moral, il forge le caractère, aiguise la volonté, incite au dépassement de soi. Qualités dont le bénéfice se retrouve dans bien d'autres domaines que le domaine sportif. La valeur éducative du ski est plus grande encore lorsqu'on ne le réduit pas à la réalisation d'un simple exploit sportif, mais qu'on lui permet de retrouver son utilité première en en faisant un moyen privilégié de locomotion sur la neige. Regrettons de ce point de vue la place réduite accordée par les classes de neige au ski de fond ou de randonnée, ainsi qu'à la promenade en raquettes. Plus que le ski de piste, pratiqué sur des « stades de neige » artificiels et grouillant de monde, cette forme d'utilisation du ski permet d'entrer en contact intime avec la nature. Grâce à elle, il est non seulement possible d'appréhender de manière concrète le site, dont l'influence, par l'intermédiaire de l'ensoleillement, se manifeste sur la qualité de la neige, mais également de surprendre les animaux, plus nombreux qu'on ne le croit à hanter les espaces neigeux prétendument déserts. Pratiqué de cette manière, le ski, sans rien perdre de son intérêt sportif, se mue en instrument de découverte et parfois, à l'occasion, d'aventure.

Si la pratique de la voile n'est pas l'unique activité des classes de mer, elle en constitue néanmoins le pivot et nous ne pouvons souscrire à l'opinion de ceux qui, par goût du paradoxe, voient en elle une activité accessoire de ces classes. Comme pour le ski, il convient cependant de bien situer la finalité de la pratique de la voile en classes de mer. Il ne s'agit pas, de toute évidence, de former des navigateurs accomplis, et la classe de mer ne saurait se réduire à une simple école de voile. Les sorties, le plus souvent possible, ne se limitent pas à favoriser l'acquisition d'une certaine compétence technique (compétence qu'il est d'ailleurs nécessaire d'acquérir, car elle conditionne la bonne marche de l'expédition). Elles prennent habituellement la forme de promenades, au cours desquelles sont certes pratiqués des exercices de navigation, mais dont l'objectif premier est, par exemple, de conduire à un lieu d'enquête, de pêche ou d'excursion.

Plusieurs types de voiliers sont utilisés en classes de mer, dont le « Vaurien » et la « Caravelle », celle-ci constituant le bateau-école type pouvant accueillir quatre ou cinq équipiers et un moniteur. Notons qu'il convient de bannir les bateaux trop importants, comme la « Baleinière », dans lesquels les enfants ne sont que des passagers passifs. Le bateau le mieux adapté aux classes de mer est le célèbre « Optimist », dont la naissance, en 1966, a beaucoup fait pour le développement de ces classes. Peu onéreux, adapté à la taille de l'enfant, léger (30 kg), insubmersible et difficilement chavirable, l'« Optimist » offre toute garantie sur le plan de la sécurité tout en étant d'un maniement très facile. Les progrès de l'enfant sont, grâce à lui, très rapides, ce qui l'encourage à persévérer en vue d'acquérir une maîtrise technique toujours plus poussée.

La pratique de la voile n'est pas dangereuse en soi, pour peu qu'elle s'accompagne d'un minimum de précautions. Le port du gilet de sauvetage fait partie de ces précautions nécessaires, au même titre que la surveillance constante dont les enfants doivent être l'objet sur le plan d'eau, ainsi que la suppression des séances de voile lorsque les conditions météorologiques ne sont pas rigoureusement favorables. La pratique de la voile développe chez l'enfant les mêmes qualités que celles du ski. Seul à bord de son « Optimist », l'enfant ne bénéficie d'aucune aide extérieure lorsqu'il s'agit de choisir et d'exécuter la manœuvre nécessaire. Contraint de se mesurer à deux éléments naturels jusqu'alors inconnus de lui, l'eau et le vent, il acquiert, par là même, rapidité de réflexes et maîtrise de soi, en même temps qu'il trempe son caractère. La voile apprend aussi à l'enfant à vaincre l'indécision et la peur, tout en lui permettant d'améliorer son équilibre psychomoteur.

**La natation** n'est possible en classes de mer que si la saison est propice et la côte apte à permettre la baignade. Lorsqu'on entend se livrer à un apprentissage systématique de la natation, il est prudent de choisir une implantation située à proximité d'une piscine couverte ou chauffée. On a parfois envisagé d'installer des bassins mobiles à l'intention des classes de mer. Rappelons cependant que l'apprentissage de la natation ne constitue pas l'une des finalités premières des classes de mer. Ainsi, Paris s'efforce de n'envoyer en classes de mer que des élèves sachant déjà nager, l'objectif étant simplement de parvenir à une amélioration de leur technique et à l'acquisition des « tritons » et autres « dauphins » qui sont à « l'École de la natation française » ce que sont les « étoiles » et les « chamois » à l'École de ski français.

Bien d'autres activités physiques sont encore possibles en classes de mer. Citons les promenades en barque, ou celles, accompagnées de jeux, sur les rochers et les grèves. Le sable constitue, en effet, un terrain de jeu idéal sur lequel les élèves peuvent, tout à loisir, se livrer à une riche gamme de courses, sauts et autres roulades. Il arrive que des rencontres sportives soient organisées entre classes de mer et classes locales, ce qui donne l'occasion de nouer des liens, lesquels, renforcés lors de l'étude commune du milieu naturel, peuvent conduire à d'autres échanges, à l'occasion des vacances par exemple.

**La pêche,** fort en honneur en classes de mer, représente bien autre chose que l'occasion d'une simple dépense physique. Elle constitue, en fait, le type même de l'activité pluridisciplinaire. Nous aurons l'occasion d'indiquer plus loin les nombreuses activités scolaires à l'origine desquelles elle peut se situer. École de patience, d'agilité et de perspicacité, la pêche développe également l'habileté manuelle, car avant de ferrer le poisson il faut apprendre à fabriquer sa ligne et monter son hameçon.

**L'équitation** est la dernière des grandes activités sportives pratiquée en classes de nature. Encore peu répandues, les classes vertes « équitation » mériteraient de l'être davantage, car elles permettent aux enfants de l'école primaire de s'initier à un sport peu connu dont l'attrait le dispute à la vertu éducative. Sur le plan physique, l'équitation aide les enfants à perfectionner leur équilibre (lequel se concrétise par la fameuse « assiette » des cavaliers), à améliorer leurs réflexes et à développer leur attention. École de maintien corporel, l'équitation possède également des vertus quant à la formation de la personnalité. Elle entraîne l'enfant à la maîtrise de soi, laquelle lui permet seule d'acquérir celle de sa monture, elle l'oblige à vaincre son appréhension et à s'adapter aux réactions d'un animal dont il apprend peu à peu à discerner les traits de caractère. A cela s'ajoute le fait que, plus encore peut-être que le ski ou la voile, le cheval, être vivant inséré dans l'équilibre biologique naturel, peut fournir aux élèves l'une des clés leur permettant de découvrir la nature.

Mis à part l'équitation, pour un nombre réduit d'entre elles, les classes vertes ne se centrent habituellement pas sur la pratique d'un sport particulier. Ce qui ne veut pas dire pour autant qu'elles négligent toute activité physique. Celle-ci est le plus souvent pratiquée de manière « naturelle », au cours de randonnées multiples qui donnent aux enfants l'occasion de marcher, courir, sauter, porter, lancer, grimper, etc. Lorsqu'une rivière coule à proximité, les élèves en profitent pour se livrer aux joies du canoë, du kayak ou de l'aviron. On pratique également en classes vertes le traditionnel jeu de piste avec sa recherche de messages, son langage codé et les exercices d'observation auxquels il donne lieu. La course d'orientation-nature, plus élaborée, est elle aussi très en honneur en classes vertes. Elle suppose la lecture de la carte d'État-Major, l'utilisation de la boussole et la réponse à des questions portant sur la découverte de la nature.

Quel que soit le sport pratiqué, deux constatations sont généralement faites par les animateurs de classes de nature. La première concerne la grande faculté de récupération des enfants. Pourvu, en effet, que leur santé soit bonne et que les efforts qui leur sont demandés soient judicieusement dosés, les enfants s'adaptent parfaitement aux activités sportives qui leur sont proposées. La deuxième remarque tient à l'entrain avec lequel ils se livrent à ces diverses activités physiques. Entrain qui se révèle sans commune mesure avec celui manifesté dans les classes ordinaires lorsqu'on exige d'eux un quelconque effort physique. Même les élèves habituellement les plus réticents à l'égard de ce type d'effort l'acceptent, dès lors qu'il n'est plus gratuit et qu'il s'effectue par le biais de sports aussi passionnants que le ski, la voile ou l'équitation.

## La découverte du milieu

L'étude du milieu ne figure pas au nombre des finalités originelles des classes de neige et des classes de mer. Les unes et les autres, nous le savons, sont nées du désir, non pas d'initier les élèves à l'environnement, mais de ménager une place accrue à l'éducation physique dans les horaires de l'enseignement primaire. « Filles du mi-temps »[10], les classes de nature n'ont cependant pas tardé, sans renier leur vocation première, à centrer leur activité pédagogique sur l'étude de l'environnement local, se dotant ainsi d'une finalité nouvelle particulièrement riche en prolongements divers. Les textes officiels se sont contentés d'entériner cette orientation spontanée en déclarant qu'en classes de mer et en classes vertes (pourquoi toujours cet oubli des classes de neige ?) « le 'milieu' est le centre privilégié de toutes les activités[11] ». La Circulaire du 29 septembre 1971 signale de son côté que, dans ces classes, « toutes les activités s'inscrivent dans l'étude du milieu ». Quant aux élèves, l'étude de l'environnement leur est très vite apparu comme le deuxième temps fort, après l'activité sportive, de la classe de nature. « J'ai visité en une semaine, écrit un enfant, plus de sites, de monuments que je ne l'avais fait en cinq ans. » « J'ai découvert, ajoute un autre,

---

10. Cf. *Pédagogie des classes de mer*, CRDP de Rennes, *op. cit*.
11. Circulaire du 6 mai 1971.

certains aspects de la vie économique d'une région très différente de la nôtre, j'ai vu comment les gens s'organisaient pour la défendre, la stimuler. »[12]

Les raisons de ce choix effectué par les classes de nature sont aisées à discerner. La première tient à la nouveauté du milieu dans lequel les enfants sont amenés à vivre. Qu'il s'agisse du milieu montagnard, du milieu marin, ou même du milieu campagnard, il est, en effet, rare qu'ils soient particulièrement familiers aux petits citadins. Même si, d'ailleurs, il leur a déjà été donné de fréquenter l'un ou l'autre de ces milieux à l'occasion de vacances familiales, rien n'a généralement été fait pour leur permettre d'en saisir de manière précise la nouveauté. Nouveauté qui constitue pour l'enfant un puissant facteur de motivation ainsi que le note une institutrice : « La motivation née d'un tel milieu est très puissante chez les enfants et les pousse à un travail toujours plus approfondi[13]. » Ce milieu nouveau est en outre puissamment original. Qu'il s'agisse du milieu montagnard, avec les contrastes de son relief et de sa végétation, ou du milieu marin avec ses immenses étendues de sable et de rochers qu'anime le souffle puissant de la marée, ces paysages naturels ont de quoi, par leur sauvage grandeur, leur caractère exceptionnel et démesuré, séduire profondément l'enfant, l'incitant ainsi à les mieux connaître et à les mieux comprendre. Ce milieu se révèle enfin, dans ses données physiques, économiques et sociales, particulièrement riche en exploitations pédagogiques de toutes sortes.

En classes de neige, l'étude des problèmes météorologiques est classique. On s'attache habituellement surtout aux précipitations neigeuses et à l'ensoleillement. L'observation du relief fait apparaître l'opposition entre l'adret et l'ubac, celle de la végétation, l'étagement auquel elle est soumise en montagne. Contrai-

---

12. « Les classes de mer », dans *Pédagogie, op. cit.*
13. G. CLAIR, « Les classes transplantées », dans *Pourquoi,* décembre 1974.

rement à ce que pourraient penser les petits citadins, faune et flore ne sont pas absentes des paysages de montagnes ensevelis sous la neige. A eux de savoir découvrir les mousses ou plantes naines qui survivent de-ci de-là, protégées par un surplomb de rocher, et d'apprendre à reconnaître les traces laissées dans la neige par le passage d'un animal.

La vie des hommes en montagne n'est pas moins digne d'intérêt pour les élèves des classes de neige. Et leur habitat, tout d'abord, avec les transformations que lui imposent les mutations économiques en cours. Interroger les montagnards d'autrefois en vue de comparer leur mode de vie à celui des montagnards d'aujourd'hui ouvre la porte à des découvertes passionnantes. Non moins intéressante est la perception concrète du processus par lequel une économie traditionnelle, à base de maigres cultures, d'élevage transhumant et d'artisanat complémentaire, évolue progressivement pour s'adapter aux données de l'économie moderne.

Le milieu marin se révèle, lui aussi, exceptionnellement riche en thèmes d'études. L'environnement physique permet, sur les côtes rocheuses, d'abondantes récoltes d'algues, de crustacés et de poissons, tandis que les côtes basses livrent à profusion coquillages, vers et mollusques. Inventoriées, classées, cataloguées, ces moissons permettent d'accéder aux notions d'espèces et de classes en même temps qu'elles fournissent de multiples exemples d'adaptation des êtres vivants à leur habitat naturel. L'étude biologique du milieu marin peut être complétée par l'observation du vol, de l'habitat et des mœurs des myriades d'oiseaux qui hantent les côtes océanes. L'observation de l'horizon, de la voûte céleste, de la mer et de ses rivages, ainsi que celle du mouvement des nuages font saisir aux enfants la notion d'espace, celle de temps pouvant découler de l'observation du rythme des marées ou de l'étude stratigraphique des rivages. La pratique des activités liées à la mer permet d'introduire une foule de disciplines scolaires. On peut faire de la technologie à partir du maniement des gréements des bateaux ou des instruments de mesure, de la physique en étudiant les marées, les courants marins ou le fonctionnement d'un gouvernail. La pêche recèle à elle seule une mine d'observations possibles pouvant conduire à une multitude d'exploitations pédagogiques. Qu'il s'agisse de la pêche pratiquée par les élèves eux-mêmes en vue de l'observation d'une grande variété d'espèces de poissons vivants, ou de la pêche industrielle à propos de laquelle des enquêtes peuvent conduire à la collecte de multiples renseignements sur les bateaux, les lieux de pêche, la conservation et la commercialisation des poissons, ainsi que sur le mode de vie et la condition sociale des pêcheurs professionnels[14].

Les classes vertes, installées à la campagne, offrent, elles aussi, bien des ressources à un observateur attentif. On peut s'entraîner à reconnaître les essences des arbres ou observer la vie grouillante de n'importe quel coin de forêt ou de prairie. Un rien de flair et un peu de chance permettent de découvrir et d'identifier les passages d'animaux grâce aux pistes qu'ils suivent et aux excréments qu'ils abandonnent. Sans oublier qu'une simple fourmilière peut se révéler très « parlante » pour qui sait l'interroger. On peut enfin « chasser » les cris d'oiseaux, en les enregistrant, pour apprendre à les identifier.

La vie et les activités des ruraux passionnent habituellement les petits citadins habitués au sol bitumé des villes et aux cheminées des banlieues industrielles. Les classes vertes permettent de s'initier au rythme de vie des agriculteurs, elles donnent l'occasion de s'intéresser à cette unité minimale de production qu'est la ferme, ainsi qu'à ces lieux de rencontre et d'échanges que sont les foires et marchés. On peut aussi s'efforcer de saisir le fonctionnement de la vie sociale dans le village voisin, opération plus aisée ici qu'en ville où ce fonctionnement

---

14. Voir dans *Pédagogie des classes de mer, op. cit.*, un exemple d'exploitation du milieu en classes de mer, pp. 21 à 29.

est beaucoup plus complexe. Les petits citadins perçoivent ainsi concrètement le rôle du maire, du conseil municipal, ou du garde champêtre. Étudiant enfin les différents métiers pratiqués au village, les élèves en saisissent aisément la nécessité et la complémentarité. Le paysage rural n'est cependant pas qu'un présent. Il est un passé aussi dont l'exploration offre bien des satisfactions. Les classes vertes n'oublient jamais d'inclure dans leur étude du milieu la dimension historique, d'autant que celle-ci passionne habituellement les élèves.

L'étude de la vie et des activités des hommes dans un coin de terre donné suppose de nombreux contacts avec les populations locales et une véritable intégration de la classe verte dans la vie même du village. Intégration qui ne s'obtient pas d'emblée, même si les menus services rendus par les petits citadins (nettoyage du village ou élagage des haies) la facilitent. Le premier contact s'établit généralement avec la classe locale, en vue d'une information réciproque. Ce contact aboutit parfois à ce que des élèves de la classe de nature soient régulièrement reçus, voire hébergés, dans des familles paysannes. Mais d'autres contacts s'avèrent très vite nécessaires. Les animateurs des classes vertes font souvent appel à toutes sortes de spécialistes locaux (gestionnaires publics ou privés de l'environnement, représentants des collectivités locales, responsables de sociétés savantes ou de protection de la nature) dans le but de compléter leur information sur l'environnement.

Les réalisations auxquelles aboutissent ces études conduites dans le milieu sont fort variées. Sans parler du journal de classe de nature ou des dossiers spécialisés dans lesquels s'organisent la plupart des informations recueillies, il faut citer la constitution d'herbiers, d'aquariums, de vivariums, la naturalisation d'animaux ou la réalisation d'inclusions sous résine. Ces réalisations sont parfois temporaires (aquariums, vivariums), mais elles sont le plus souvent durables, ce qui leur permet d'alimenter les expositions organisées au retour pour la plus grande fierté des enfants et des parents.

L'initiation à cette « science de synthèse du réel[15] » qu'est l'écologie aboutit, en classes de nature, non seulement à l'acquisition de connaissances concrètes et bien assimilées qui, par extension et prolongements successifs, peuvent déboucher sur des connaissances plus générales, mais également à l'assimilation de diverses techniques d'observation utilisables bien au-delà de la classe de nature. Elle apprend aussi à l'enfant, ce qui est peut-être l'essentiel, à aimer et à respecter un environnement dont une observation attentive lui a révélé toute la richesse.

### Les connaissances instrumentales en classes de nature

Certains ont parfois craint que les classes de nature ne soient conduites à négliger les apprentissages fondamentaux au profit des activités sportives et d'éveil. En fait, il n'en est rien, les classes « transplantées » mettant leur point d'honneur à respecter les instructions ministérielles qui leur demandent de suivre scrupuleusement le programme officiel des différentes classes intéressées. Ce qui ne veut pas dire pour autant qu'on fasse de l'étude du français et du calcul une activité à part. Celle-ci s'intègre, en effet, elle aussi dans le projet éducatif global de la classe de nature.

C'est dans l'étude du milieu local, la pratique du sport et la vie collective que les activités scolaires de base trouvent leur motivation, en même temps qu'elles y puisent une justification que la pédagogie traditionnelle a quelque peu tendance à perdre de vue. Étudiant tel ou tel phénomène propre au milieu local, il arrive en effet souvent qu'apparaisse la nécessité de recourir à

---

15. F. Lapoix, Service de Conservation de la Nature, Museum d'histoire naturelle, Paris.

l'instrument mathématique. Les élèves éprouvent également le besoin de faire appel au langage écrit pour rendre compte de leurs découvertes. Le français et le calcul perdent ainsi leur caractère de disciplines scolaires gratuites, imposées aux enfants par le seul bon plaisir du maître. Ils retrouvent en partie leur finalité première qui est d'être des outils facilitant l'expression, la communication et l'appréhension du monde.

Il est particulièrement aisé en classes de nature d'ancrer dans le réel les activités de *français*. Les enfants éprouvent naturellement le besoin de raconter, oralement ou par écrit, les multiples aventures qui jalonnent leur apprentissage du ski ou de la voile. Les paysages grandioses qu'il leur est donné d'admirer émeuvent leur sensibilité et sont souvent à l'origine de textes libres empreints de fraîcheur et de poésie, dont les maîtres obtiennent rarement l'équivalent en classes urbaines.

L'étude du milieu local constitue également une inépuisable mine pour la pratique de l'expression orale et écrite. Cette étude suppose, en effet, que les élèves se concertent pour en choisir le thème, qu'ils rédigent le questionnaire d'enquête, se livrent aux interviews nécessaires (mettant en œuvre une technique difficile et particulièrement fructueuse), avant de consigner par écrit, de manière précise et détaillée, le résultat des observations recueillies. Qu'ils figurent dans le journal de classe illustré, dans le cahier individuel de classe de nature ou dans des monographies particulières, tous ces textes donnent l'occasion aux enfants de rédiger en situation, d'accomplir un travail réel sans commune mesure avec l'exercice factice de « rédaction » que pratiquent encore certaines classes. Affrontés à un nécessaire travail d'écriture, les enfants trouvent naturel de se pencher sur des textes d'auteurs traitant des sujets qui les intéressent : l'hiver, la neige, l'alpinisme, la mer, le cheval ou la protection de la nature, etc., pour y chercher les solutions aux problèmes d'expression qu'ils se posent, au niveau du vocabulaire ou de la syntaxe.

Ajoutons enfin que la situation de déracinement scolaire et

familial que vivent les enfants implique tout naturellement la pratique d'une abondante correspondance. Correspondance privée qui, bien qu'échappant à toute élaboration scolaire, est fort loin d'être inutile sur le plan de l'apprentissage de la langue écrite, mais surtout correspondance scolaire avec les classes demeurées en ville auxquelles les élèves font part de la merveilleuse aventure qu'ils sont en train de vivre. Qu'elle soit individuelle ou collective, cette correspondance est l'occasion de fructueuses acquisitions grammaticales et orthographiques, les enfants ayant à cœur de faire bonne figure auprès de leurs correspondants.

Pas plus que le français, le *calcul* n'apparaît, en classes de nature, comme une activité gratuite. Pour peu, en effet, qu'ils approfondissent l'observation d'un phénomène quelconque, les enfants constatent qu'ils seront amenés à en mieux comprendre le mécanisme s'ils utilisent l'outil mathématique. Effectuer le croquis côté de l'« Optimist », déterminer les rapports existant entre ses différentes dimensions, aident à mieux saisir la réalité d'un instrument aussi indispensable aux élèves des classes de mer que leurs livres et leurs cahiers aux élèves des classes ordinaires. Mesurer la vitesse horaire du vent avec l'échelle de Beaufort permet de se familiariser avec ce phénomène naturel et d'en mieux comprendre les conséquences. Mettre en graphique le climat — avec les hauteurs de pluie ou de neige — conduit à une compréhension plus affinée de celui-ci. Les échelles, les angles, les courbes de niveau peuvent encore être étudiés en classes de mer à partir du milieu naturel. Il n'est pas jusqu'aux premières notions de mathématiques modernes qui ne soient susceptibles d'être abordées à partir des activités d'éveil. La multiplicité de plantes, petits animaux ou coquillages que récoltent les enfants leur permettent, en effet, d'approcher les notions d'ensemble, de sous-ensemble, de critère de classification, de sériation, de relation, etc.

Il ne nous semble pas utile d'aller au-delà de ces exemples. Il appartient, en effet, à chaque maître de classe de nature de voir comment il lui est possible, en fonction d'une progression non rigide préalablement établie, « d'exploiter les richesses des ressources et des situations multiples de la classe »[16], en se souciant le plus souvent possible de proposer aux élèves des activités mathématiques réelles, et en les incitant à inventer eux-mêmes des problèmes, en mathématisant les situations concrètes auxquelles ils se trouvent confrontés. Découvrir la trame de concepts mathématiques qui sous-tend une situation vécue constituant, en effet, la meilleure initiation aux mathématiques que les classes de nature puissent proposer aux élèves.

Qu'il s'agisse du français ou du calcul, il est symptomatique de noter que les enfants qui s'y adonnent en classes de nature n'ont pas l'impression de travailler, au sens traditionnel du terme, ce qui les conduit à se fatiguer beaucoup moins vite qu'en classe ordinaire. Les témoignages en ce sens abondent. « A Moulin-Mer, on ne pense plus à la récréation », écrit un enfant, tandis qu'un maître confirme : « Les enfants n'ont jamais éprouvé le besoin de récréation au sens scolaire du terme. »[17]

Si les enfants des classes de nature s'adonnent sans réserve et sans fatigue au travail, c'est parce qu'il représente une activité librement consentie répondant à un projet qu'ils ont eux-mêmes élaboré. A cela s'ajoutent les bénéfices physiques et intellectuels procurés par les classes de nature. Soustraits à la vie trépidante des villes, pratiquant en pleine nature des activités sportives saines et variées, bénéficiant d'une nourriture et d'un sommeil de qualité, les enfants sont particulièrement disponibles et détendus. Leur capacité d'attention accrue, le meilleur fonctionnement de leurs mécanismes intellectuels expliquent les excellents résultats qu'ils obtiennent habituellement dans la pratique des activités fondamentales. D'autant que le style nouveau de la

---

16. *Pédagogie des classes de mer,* CRDP de Rennes, *op. cit.*
17. Dans *Pourquoi,* décembre 1974.

relation maîtres-élèves permet à l'enfant de travailler dans un climat affectif particulièrement favorable.

### L'initiation esthétique en classes de nature

L'initiation esthétique et sensible, parente pauvre de notre enseignement traditionnel, bénéficie en classes de nature de conditions particulièrement favorables. La beauté des sites, celle des formes rencontrées, coquillages, fleurs ou animaux, incite les enfants à les représenter par le dessin ou la peinture et à vouloir créer eux-mêmes d'autres formes, voisines ou différentes. Les rudiments techniques nécessaires à ces réalisations sont vite acquis, dès lors que l'intérêt est déclenché. Monts enneigés, chalets, sapins, voiliers, chevaux, sont des thèmes, parmi d'autres, à propos desquels les enfants n'en finissent pas d'égrener des gammes de formes et de couleurs.

Les arts et traditions populaires sont une seconde mine à laquelle s'alimente l'éducation esthétique en classes de nature. Les contes et légendes que les anciens du pays viennent raconter à la veillée font rêver les élèves, déclenchant en eux un mouvement de sensibilité propice à l'activité artistique. Les enfants éprouvent parfois le désir de consigner par écrit ces récits, en les enjolivant à leur manière, et en les illustrant de dessins dont la naïveté rappelle celle des récits eux-mêmes. Les costumes régionaux, dont la recherche donne lieu à de passionnantes enquêtes, sont ensuite dessinés, voire parfois réellement reconstitués pour habiller de petits personnages modelés dans la terre ou sculptés dans le bois.

L'artisanat local est l'objet d'une attention particulière. C'est avec un vif intérêt que les petits citadins voient confectionner, à l'aide de techniques d'un autre âge, toutes sortes d'objets dont la beauté stylisée n'est pas sans évoquer certaines réussites de l'art moderne. Le travail de l'ébéniste, du tisserand ou du potier local intéresse l'enfant sur le plan technique, en même temps qu'il lui ouvre les portes de la beauté.

Le folklore local, particulièrement riche et vivace dans certaines régions, avec le cortège de ses chants et de ses danses, sensibilise les enfants au plaisir de la musique et de l'expression corporelle. Il leur permet, en outre, d'appréhender en profondeur la mentalité des autochtones, ce qui les leur rend plus proches et plus attachants.

Les richesses dont les enfants disposent pour alimenter leurs activités de chant, de danse, de dessin ou de travail manuel, n'expliquent pas, à elles seules, l'impact de ces activités en classes de nature. Il faut y ajouter le temps, dont bénéficient si largement les élèves, alors qu'il leur est si cruellement compté dans les classes ordinaires. Il faut y ajouter aussi la présence d'animateurs rompus à la pratique de ces activités, ainsi que celle de jeunes maîtres en formation professionnelle moins obnubilés par les disciplines fondamentales que ne le sont parfois leurs aînés. On peut penser que le spectacle de ses élèves s'affairant, actifs et heureux, dans les divers ateliers qui leur sont proposés, est de nature à convaincre le maître le plus réticent et à l'incliner, à son retour, à un peu moins sacrifier la dimension esthétique de son enseignement.

La conclusion qui s'impose au terme de ce rapide survol de la pédagogie mise en œuvre, ou susceptible de l'être, en classes de nature, est double.

La première est que ce type de classes présente toutes les conditions requises pour la pratique d'une pédagogie rénovée. Depuis le maître, dont le volontariat est un indice d'ouverture, jusqu'au puissant catalyseur que représente l'étude de l'environnement local, en passant par le dépaysement des élèves, la vie communautaire et la pratique de sports particulièrement impliquants. Ainsi que l'écrit un instituteur de Quimper à l'issue d'une classe de mer à Moulin-Mer, « l'organisation du tiers-temps pédagogique et de la pluridisciplinarité s'est faite spontanément dans ce cadre privilégié ».

La seconde conclusion est qu'il convient d'utiliser le terrain privilégié des classes de nature pour y faire systématiquement fonctionner — ce qui n'est pas encore le cas aujourd'hui — sinon une pédagogie spécifique, dont on peut douter qu'elle existe, du moins une pédagogie ouverte et concrète susceptible de faciliter l'actuel mouvement de rénovation pédagogique de l'école élémentaire, en le développant et le fortifiant là où il s'est déjà manifesté, ou en en constituant l'amorce dans les écoles où l'étincelle régénératrice ne s'est pas encore produite.

## CHAPITRE VI

## LE BILAN DES CLASSES DE NATURE

Amorcé il y a plus de vingt ans, le phénomène « classes de nature » a atteint aujourd'hui une maturité suffisante pour qu'il soit possible de tenter d'en établir le bilan, sur le double plan de son importance quantitative et des bénéfices qu'en retirent les enfants, l'économie de la région d'accueil et la Rénovation pédagogique de l'école élémentaire.

### Les données quantitatives

Qu'elles soient relatives aux effectifs des classes de nature, à leurs lieux d'origine ou d'implantation, ces données ne sont pas aisées à saisir. La multiplicité et la variété des réalisations, l'absence de tout service centralisateur au niveau national, la situation encore marginale des classes de nature dans notre système éducatif, expliquent les difficultés éprouvées pour accéder à des statistiques fiables et régulières.

**Des effectifs encore limités.**

Au dire du ministère de l'Éducation, le développement des classes de nature revêt un caractère « spectaculaire » (fig. 5). S'il est difficile de contester une telle appréciation, on se trouve cependant contraint de la moduler quelque peu en précisant qu'une minorité d'enfants seulement bénéficie actuellement d'une classe de nature.

## NOMBRE DE CLASSES DE NEIGE, DE MER ET DE CLASSES VERTES AYANT FONCTIONNÉ ENTRE 1952 ET 1976

| Années | Classes de neige | | Classes de mer | | Classes vertes | | Effectifs moyens |
|---|---|---|---|---|---|---|---|
| | Nbre de classes | Effectifs | Nbre de classes | Effectifs | Nbre de classes | Effectifs | |
| 1952/53 | 1 | 32 | | | | | 32 |
| 1955 | 50 | 1.500 | | | | | 30 |
| 1961 | 567 | 17.000 | | | | | 30 |
| 1964 | | | 2 | *60* | | | 30 |
| 1967 | 1.700 | 51.000 | | | | | 30 |
| 1968/69 | 2.245 | 64.162 | | | | | 28,6 |
| 1969/70 | 2.541 | 71.769 | 114 | *3.215* | | | 28,2 |
| 1970/71 | 3.169 | 86.049 | 198 | *5.386* | | | 27,2 |
| 1971/72 | 3.503 | 95.641 | *461* | 12.597 | *733* | 20.009 | 27,3 |
| 1972/73 | 3.858 | 103.955 | | | | | 27 |
| 1973/74 | 4.000 | 108.000 | 746 | 20.140 | *1.085* | 29.284 | 27 |
| 1974/75 | | 116.500 | | | | | |
| 1975/76 | | 118.370 | | | | | |

N.B. Les chiffres en italique correspondent à des valeurs extrapolées à partir des autres données.

*Figure 5*

En 1971-1972, 128.247 enfants ont participé à ce type de classes, ce qui représente un pourcentage infime de l'ensemble des enfants scolarisés en France, et seulement 4% de la population scolaire susceptible réglementairement de bénéficier des classes transplantées. Les 157.424 enfants qui sont partis en 1973-1974 n'accroissent pas de manière sensible ce pourcentage.

Les classes de neige, plus anciennes et plus prestigieuses, viennent en tête, avec des effectifs d'élèves de 95.641 en 1971-1972; 108.000 en 1973-1974; 116.500 en 1974-1975; 118.370 en 1975-1976. Les classes vertes, bénéficiaires du renouveau écologique, peu onéreuses et faciles à organiser, arrivent en deuxième position, mais à distance respectable des classes de neige : 20.009 élèves en 1971-1972; 29.284 en 1973-1974. Les classes de mer se situent en troisième position avec 12.597 élèves en 1971-1972, et 20.140 en 1973-1974 (voir fig. 6).

Les classes de nature ne sont donc pas devenues, vingt-trois ans après la création des premières d'entre elles, un « rouage de l'enseignement du premier degré en France », ainsi que le souhaitait le Dr Fourestier pour les classes de neige. Loin d'apparaître comme un facteur de démocratisation de l'enseignement, elles accentuent ainsi trop souvent les différences existant entre les enfants de l'école élémentaire en excluant tous ceux qui ne peuvent pas — ou pour lesquels on ne peut pas — consentir l'effort financier nécessaire à un départ à la neige, à la mer ou à la campagne.

### Une origine géographique très localisée.

L'origine géographique des classes de nature fait apparaître une forte prépondérance des départements situés au nord d'une ligne Nantes-Marseille, la palme revenant aux grandes cités industrielles. C'est ainsi que la région parisienne — la banlieue plus que la ville de Paris elle-même — constitue le principal foyer générateur de classes de nature. 50% des classes de neige

RÉPARTITION DES CLASSES
TRANSPLANTÉES EN 1971-1972

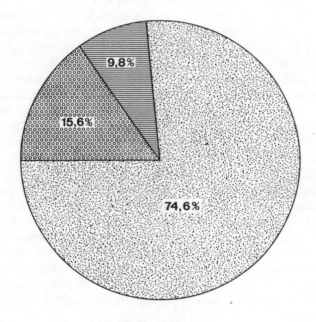

**Effectif total : 128.246** élèves

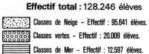

Classes de Neige - Effectif : 95.641 élèves.

Classes vertes - Effectif : 20.009 élèves.

Classes de Mer - Effectif : 12.597 élèves.

*Figure 6*

françaises en sont issues. En 1972-1973, les trois académies de Paris, Créteil et Versailles représentaient à elles seules, sur un total de 3.858 classes de neige organisées en France à l'intention de 103.955 élèves, 1.980 classes pour 53.319 élèves, la palme nationale revenant à l'académie de Versailles avec 1.049 classes et 28.821 élèves. Après les académies parisiennes, les principales académies organisatrices de classes de neige sont celles d'Orléans-Tours (176 classes en 1972-1973 pour 4.961 élèves), d'Amiens (159 classes, 4.111 élèves), de Nancy-Metz (157 classes, 3.910 élèves), d'Aix-Marseille (154 classes, 3.951 élèves), de Lille (153 classes, 4.280 élèves), etc.

Si on considère le premier département d'accueil français, la Haute-Savoie, on constate qu'en 1975-1976, sur un total de 1.496 classes de neige de l'enseignement public hébergées, représentant 39.147 élèves, la région parisienne s'inscrit pour 855 classes, soit 17.491 élèves. Dans ce total, Paris ne représente d'ailleurs que 85 classes et 1.083 élèves, les six départements de l'agglomération parisienne (Yvelines, Essonne, Hauts-de-Seine, Seine-Saint-Denis, Val-de-Marne, Val-d'Oise) comptant pour 768 classes et 16.408 élèves. Quant aux autres départements qui font régulièrement fonctionner des classes de neige en Haute-Savoie, ce sont, par ordre d'importance, l'Oise (153 classes, 3.898 élèves), la Seine-et-Marne (74 classes, 2.573 élèves), le Nord (66 classes, 728 élèves), le Loiret (50 classes, 256 élèves), le Vaucluse (36 classes, 353 élèves), la Seine-Maritime (34 classes, 290 élèves), les Bouches-du-Rhône (31 classes, 268 élèves). Seul le Rhône, grand pourvoyeur de classes de neige, ne fait pas bonne figure dans le palmarès haut-savoyard.

Les lieux d'origine des classes vertes sont beaucoup plus diversifiés, dans la mesure où la durée des séjours et les distances parcourues sont éminemment variables. Chaque ville importante organise, bon an mal an, quelques classes vertes, ne serait-ce que d'une semaine et dans son environnement immédiat. En ce qui concerne les séjours longs (trois semaines), nécessitant des déplacements importants, l'agglomération parisienne tient, là encore, le haut du pavé. En 1975-1976, le département de la Haute-Savoie a reçu, sur les 178 classes vertes de l'enseignement public qu'il a hébergées (représentant 4.160 élèves), 138 classes en provenance de l'agglomération parisienne (soit 3.260 élèves). Sur ce total, 59 classes venaient de la ville de Paris (1.261 élèves) et 79 classes de l'Essonne, des Hauts-de-Seine, du Val-de-Marne et du Val-d'Oise (soit 1.999 élèves).

Il est intéressant de noter que les départements d'accueil, sauf peut-être pour les classes de mer, ne sont que rarement à l'origine de classes de nature. Ainsi la Haute-Savoie, qui a hébergé, nous l'avons vu, 1.496 classes de neige de l'enseignement public en 1975-1976 (plus 1.699 classes de l'enseignement privé), n'a fait fonctionner à la neige cette même année que deux de ses propres classes. De même entre 1964 et 1976, quatre classes vertes seulement ont été organisées par ce département. Constatation identique en Savoie où, sur les 724 classes de neige accueillies par ce département en 1975-1976 (enseignement public et privé), quarante-quatre seulement étaient d'origine savoyarde. Dénonçons cette anomalie, car c'en est une. L'argument selon lequel les enfants des départements montagnards n'éprouvent pas le besoin de participer à des classes de nature, est spécieux. Nombre d'enfants demeurant dans les banlieues industrielles des villes alpines n'ont, en effet, jamais chaussé de skis et ne connaissent de la nature que ce qu'en montre le cinéma ou la télévision.

La même prépondérance de la région parisienne se retrouve à propos des classes de mer. Viennent ensuite les départements côtiers, puis les autres départements français comme la Haute-Savoie qui, en 1975-1976, a envoyé 31 classes à la mer, représentant quelque 637 élèves. Notons que les départements côtiers ne négligent pas leurs propres élèves, comme le font les départements montagnards pour les classes de neige. Ainsi en 1974, sur les 178 classes qui ont été hébergées dans les centres d'accueil du Finistère, 38 étaient originaires de ce département. Situation qui nous paraît logique, beaucoup d'enfants de la Bretagne intérieure ignorant complètement la mer.

Ainsi donc, si toutes les académies sont actuellement touchées par le phénomène « classes de neige » (certaines d'ailleurs de manière dérisoire, celle de Clermont-Ferrand a envoyé, en 1972-1973, 2 classes à la neige, celle de Limoges 18, celle de Besançon 26), il est loin d'en être de même en ce qui concerne les classes vertes et, à plus forte raison, les classes de mer. Ce qui confirme ce que nous n'avons cessé d'écrire à propos du caractère encore très marginal d'un phénomène dans lequel certains ont voulu voir la révolution pédagogique de notre temps.

**Des lieux d'implantation peu diversifiés.**

Aussi surprenant que cela paraisse, l'information concernant les lieux d'accueil des classes de nature n'est encore que très partiellement rassemblée, au point qu'il s'avère impossible de présenter un tableau complet des lieux d'accueil actuellement disponibles[1]. On peut cependant dire, sans simplification excessive, que les départements montagnards et côtiers, ainsi que les ceintures rurales des grandes villes, constituent les principaux pôles d'attraction des classes de nature (voir fig. 7).

Qu'il s'agisse des classes de neige ou des classes vertes, la montagne alpine se taille la part du lion (voir fig. 8). En 1973-1974, les quatre départements alpins (Haute-Savoie, Isère, Savoie, Hautes-Alpes) ont représenté 85% des 2,7 millions de nuitées recensées en France pour les classes de neige. La proportion est moins écrasante en ce qui concerne les classes vertes, mais elle reste importante (31% des 950.000 nuitées françai-

---

1. Notons que l'*Annuaire des classes de nature,* publié par la Fondation « Sauvons l'Avenir », ne recense les lieux d'accueil que de 270 communes sur les 38.000 existantes.

CLASSES DE NEIGE, CLASSES DE MER, CLASSES VERTES
FRÉQUENTATION PENDANT L'ANNÉE SCOLAIRE 1973-1974

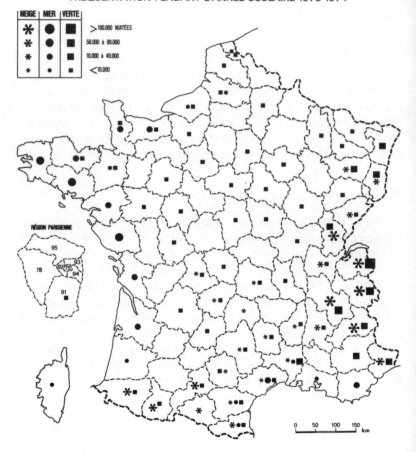

*Figure 7*

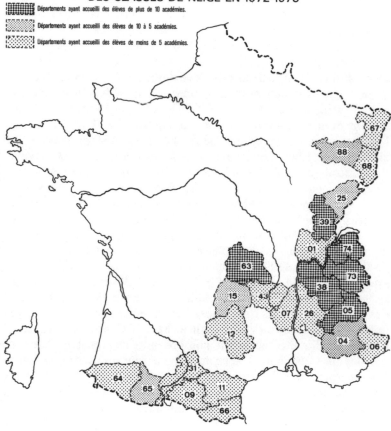

### RÉPARTITION DES LIEUX D'ACCUEIL
### DES CLASSES DE NEIGE EN 1972-1973

Départements ayant accueilli des élèves de plus de 10 académies.

Départements ayant accueilli des élèves de 10 à 5 académies.

Départements ayant accueilli des élèves de moins de 5 académies.

*Figure 8*

ses en 1973-1974 en faveur des quatre départements alpins)[2].

Pour les classes de neige, la Haute-Savoie vient en tête, avec l'accueil en 1975-1976 de 1.699 classes (enseignement public et privé) représentant 44.910 enfants. Viennent ensuite la Savoie (724 classes, 19.412 élèves), les Hautes-Alpes (734 classes, 17.677 élèves), et enfin l'Isère (578 classes, 15.493 élèves).

En ce qui concerne les classes vertes, l'ordre est sensiblement différent. Si la Haute-Savoie demeure le premier département alpin d'accueil avec 204 classes en 1975-1976 contre 172 pour l'Isère, elle est légèrement distancée par ce dernier département pour le nombre d'élèves accueillis (4.847 contre 4.842). La Savoie se situe en troisième position (164 classes, 4.201 élèves), précédant les Hautes-Alpes (79 classes, 1.533 élèves).

L'attrait exercé par le massif alpin sur les classes vertes s'explique par l'intérêt des sites, mais aussi par la possibilité d'utiliser les locaux des classes de neige, chauffables en automne et au printemps. Quant aux classes de neige, la priorité qu'elles accordent aux Alpes se justifie du fait de la qualité de l'enneigement, de l'étendue et de la variété du domaine skiable, ainsi que de l'importance de l'équipement immobilier. A cela s'ajoute une grande facilité de circulation et la rapidité des liaisons ferroviaires avec Paris. Si le bastion alpin règne en maître sur l'accueil des classes de neige françaises, cela n'empêche pas les autres massifs montagneux (Vosges, Jura, Massif Central et Pyrénées) d'en accueillir eux aussi un nombre non négligeable. Nombre qui devrait cependant s'accroître, pour peu qu'une prospection systématique des locaux soit effectuée et que de nouvelles implantations soient établies par les collectivités locales, avec l'aide de l'État, en des lieux soustraits à la convoitise des promoteurs.

---

2. Voir R. MÉRIAUDEAU et collaborateurs, colonies de vacances, classes de neige, classes de nature : distribution géographique et impact économique dans les Hautes-Alpes, l'Isère, la Savoie et la Haute-Savoie, dans *Revue de géographie alpine,* 1976-1.

De même que les Alpes sont souveraines en matière de classes de neige, la Bretagne est souveraine en matière de classes de mer (voir fig. 9). Le Morbihan était, en 1971-1972, le premier département d'accueil français, avec 2.784 élèves, suivi par le Finistère (2.479 élèves), la Vendée (1.198 élèves), la Loire-Atlantique (927 élèves), la Charente-Maritime (889 élèves) et les Côtes-du-Nord (693 élèves). Sur les 12.597 enfants ayant fréquenté, en 1971-1972, une classe de mer, 7.087 se sont rendus dans l'un des cinq départements bretons. La façade Atlantique jusqu'aux Pyrénées (Vendée, Charente-Maritime, Gironde, Pyrénées-Atlantiques) se situe en seconde position avec l'accueil de 2.926 élèves. Vient ensuite la côte méditerranéenne (Bouches-du-Rhône, Hérault, Gard, Aude, Corse, Var) avec 1.544 élèves. Les côtes de la Manche et de la Mer du Nord (Calvados, Manche, Nord, Pas-de-Calais) arrivent en dernière position avec 980 élèves.

Notons enfin que certains grands lacs français, comme celui d'Annecy, s'ouvrent, eux aussi, aux « classes d'eau ».

Quant aux classes vertes, elles fonctionnent peu ou prou dans tous les départements français, avec, le plus souvent, des élèves issus du département même. En ce qui concerne les départements accueillant un nombre important de classes vertes originaires d'une autre région française (voir fig. 10), les départements alpins, nous l'avons vu, se situent en tête, talonnés par ceux de l'Est où sont nées les classes vertes.

En ce domaine encore une prospection et une restauration des écoles désaffectées s'imposent, en vue de leur transformation en centres d'accueil de classes vertes. Une action d'ensemble ne pourra cependant être entreprise que si l'État la prend en charge, ne se contentant plus de laisser jouer la seule initiative des collectivités locales.

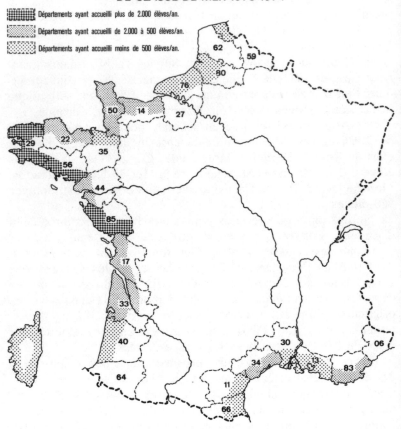

## RÉPARTITION DES LIEUX D'ACCUEIL
## DE CLASSE DE MER 1973-1974

Départements ayant accueilli plus de 2.000 élèves/an.

Départements ayant accueilli de 2.000 à 500 élèves/an.

Départements ayant accueilli moins de 500 élèves/an.

*Figure 9*

## RÉPARTITION DES LIEUX D'ACCUEIL
## DES CLASSES VERTES 1973-1974

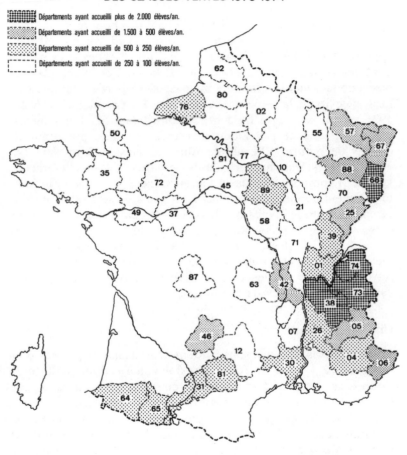

*Figure 10*

**Les bénéfices des classes de nature pour les enfants**

Nous avons tenté de cerner, dans le chapitre précédent, l'apport des classes de nature sur le plan pédagogique. Il nous appartient maintenant d'énumérer les autres types d'avantages dont ces classes font bénéficier les enfants. Ces avantages sont bien connus, même s'ils ne sont pas, la plupart du temps, évalués avec toute la rigueur souhaitable. La Circulaire du 6 mai 1971 signale la « cure de santé » contribuant à « l'épanouissement physique et psychique des enfants » que procurent les classes de nature. Elle ajoute que ces classes favorisent une « modification des rapports adultes-enfants », mais elle omet de signaler l'apprentissage de la vie en société qu'il convient indubitablement de mettre à leur actif. Même s'ils se modulent différemment selon les types de classes — les classes de neige et les classes de mer se préoccupant surtout d'améliorer l'état sanitaire des enfants, les classes vertes se souciant davantage de problèmes relationnels et d'initiation à la vie sociale — ces bénéfices se retrouvent tous, à des degrés divers, dans les trois grandes catégories de classes de nature.

**Une cure de santé.**

Les classes de neige sont évidemment les mieux placées pour procurer ce « coup de fouet physiologique » dont parle le D$^r$ Fourestier. Le climat montagnard et la pratique du ski apportent, en effet, à l'enfant nombre d'avantages physiologiques, parmi lesquels on peut citer une amplification des échanges respiratoires, une diminution de la sensibilité nerveuse, une stimulation des glandes endocrines, une augmentation de l'appétit, de la résistance à la fatigue et au froid.

Les changements les plus spectaculaires qui se produisent chez les enfants ayant participé à une classe de neige — changements qui ne se manifestent d'ailleurs pas d'emblée, mais apparaissent dans les mois qui suivent le séjour à la montagne — concernent l'augmentation du poids, de la taille et de la capacité respiratoire. De ce point de vue, la première classe de neige, organisée en 1953, a donné les résultats moyens suivants :

|  | Au départ | Au retour | Gain |
|---|---|---|---|
| Poids ................... | 41,25 kg | 41,64 kg | + 0,39 kg |
| Taille ................... | 150,6 cm | 151,6 cm | + 1 cm |
| Capacité vitale .......... | 2,74 l | 2,80 l | + 0,06 l |

D'autres mesures corroborent les chiffres avancés par le Dr Fourestier. Le rapport présenté par le département de la Seine-et-Marne à l'issue de la saison 1964-1965 signale, avec justesse, que « les élèves des classes de neige prennent en poids et en taille, à la suite de leur séjour, ce qu'ils gagneraient habituellement en un an ». Un ou plusieurs séjours en classes de neige aboutit aussi souvent à la résorption progressive de certaines attitudes vicieuses, telle que la scoliose, dont souffrent de nombreux écoliers. Il accroît la résistance des enfants aux nombreuses maladies qui les guettent l'hiver en ville (rhumes, trachéites, bronchites, etc.).

Certaines catégories d'enfants bénéficient plus encore que leurs camarades des classes de neige. Ainsi, l'état des asthmatiques s'améliore de manière spectaculaire. Les nerveux se calment ou voient leur nervosité se muer en vitalité de bon aloi. Quant aux anémiques, à la mine maladive et à l'attitude indolente, ils bénéficient souvent d'un « réveil » qui colore leurs joues et éclaircit leur regard.

Bien que moins apparente, sans doute simplement parce que les enseignants sont moins attentifs à en saisir les manifestations, la cure de santé procurée par les classes de mer et les classes vertes n'en est pas moins réelle. Ses résultats essentiels se traduisent par une résistance accrue de l'organisme enfantin, ainsi que par une stabilité nerveuse qui surprend agréablement les parents. Toutes ces améliorations sont dues au fait que l'enfant se trouve, en classe de mer et en classe verte, dans un milieu « naturel » où il jouit, loin de l'agitation des villes, d'une vie calme et régulière dans un environnement affectif favorable.

Les parents sont évidemment les premiers à noter les heureux changements survenus dans l'état physique et sanitaire de leurs enfants. Pour eux, la « thérapeutique préventive » dont parle le D$^r$ Fourestier à propos des classes de neige — mais qui se réalise en fait à l'occasion de toutes classes de nature — est une réalité vécue. Les témoignages en ce sens abondent. Nous n'en citerons qu'un. « La santé de notre enfant, sa mine resplendissante au retour, ses bonnes joues, son appétit nous ont réjouis et d'autant plus que cette amélioration s'accompagnait d'un grand calme, d'une sorte de détente. »

L'équilibre et la santé du corps allant de pair avec la vitalité de l'esprit, on assiste souvent en classes de nature à un véritable éveil intellectuel de l'enfant.

### Un éveil intellectuel.

Il est d'observation courante pour les maîtres de constater que les élèves manifestent, en classes de nature, une activité intellectuelle plus intense qu'en ville. Tout les intéresse, et l'apathie, la nonchalance et la paresse d'esprit sont rarement observées. Cette curiosité toujours en alerte, cette extrême disponibilité d'esprit, se doublent d'une vivacité d'imagination et d'une capacité d'attention et de rétention accrue.

L'exceptionnelle qualité du fonctionnement cérébral des élèves en classes de nature s'explique, tout d'abord, par la meilleure condition physique dont ils jouissent. Reposés, calmes et détendus, les enfants se livrent avec plaisir, sans effort ni fatigue, à l'activité intellectuelle. D'autant que le climat affectif dans lequel ils travaillent est lui aussi particulièrement sain et équilibré, du fait de l'influence bénéfique de la vie de groupe et des relations empreintes de cordialité, voire d'amitié, que les enfants entretiennent avec leur maître. Quant aux méthodes pédagogiques, fondées sur l'activité autonome des enfants et l'étude d'un milieu particulièrement motivant, elles sont elles aussi stimulantes pour l'esprit. Un enfant, parmi d'autres, s'exprime à ce propos : « C'est là-bas qu'on apprend le plus de choses. On ne se rend pas compte qu'on apprend parce que c'est pas du travail embêtant. » « Nos méthodes de travail étaient séduisantes, écrit un autre, j'ai l'impression d'avoir plus appris en une semaine qu'en un mois au CES. »

Les classes de nature réalisent donc bien cette « plus-value pédagogique » dont parle le père des classes de neige. « Dans la classe de neige, affirme le Dr Fourestier, il existe une répercussion heureuse des sports sur les études et réciproquement. » Et il conclut : « En classes de neige, on étudie presque sans s'en apercevoir. » Il en résulte que les enfants participant à une classe de nature, loin d'être défavorisés sur le plan scolaire, sont au contraire nettement avantagés. Et, là encore, les témoignages des maîtres plaident en faveur de la véracité de cette assertion. Sans multiplier ceux-ci, citons l'exemple de la première classe de mer de Châtillon organisée à Batz, en 1967, et dont tous les élèves ont été reçus au CEP ou admis en CET. De même, les élèves de quatrième du CEG Lanrédec à Brest, après avoir séjourné trois semaines, en mai 1965, à Moulin-Mer, sont tous passés en troisième, formant « une classe homogène, dynamique, dans laquelle on sait concilier le travail individuel et le travail en équipe[3] ».

_____

3. Dans *Pourquoi*, n° 67, juillet-août 1970, p. 60.

L'éveil intellectuel dont bénéficient les enfants en classes de nature résulte également, en partie, de l'équilibre psychologique nouveau que leur assure la vie communautaire.

## Un équilibre psychologique plus assuré.

Les conditions qui jouent en faveur de l'éveil intellectuel des enfants en classes de nature, jouent également en faveur de l'acquisition d'un meilleur équilibre psychologique. Vivant une aventure qu'ils décrivent tous comme passionnante, les élèves sont manifestement heureux dans ce type de classes. Ce qui n'est pas sans avoir des répercussions positives sur leur comportement. Bénéficiant d'une grande égalité d'humeur, ils manifestent habituellement moins d'agressivité et plus de gentillesse à l'égard de leurs camarades. Un autre facteur contribue à assurer aux élèves des classes de nature un équilibre psychologique plus solide qu'en ville. Il s'agit de la séparation temporaire du milieu familial, laquelle, en même temps qu'elle favorise l'accession des enfants à l'autonomie, leur assure un meilleur équilibre affectif en supprimant les conflits qu'ils vivent parfois, de manière plus ou moins consciente et aiguë, dans leur famille (jalousie à l'égard des frères et sœurs, par exemple, et sentiment d'être rejetés par les parents). Notons à ce propos qu'il importe, pour que ces avantages se manifestent pleinement, que le déracinement provisoire du milieu familial s'effectue de manière naturelle, sans dramatisation inutile et, notamment, sans que les parents laissent percevoir la crainte qu'ils éprouvent parfois à voir partir leur enfant en multipliant les recommandations de sagesse et de prudence.

Insistons sur la conquête de l'autonomie que permettent les classes de nature. Séparés de leurs parents, ayant affaire à des adultes qui n'interviennent qu'à la demande, obligés de s'affirmer en tant qu'individualités au sein du groupe, les enfants sont conduits à prendre des initiatives, à assumer des responsabilités, ce qui permet à leur personnalité de se manifester de façon parfois vigoureuse. Les parents constatent avec plaisir les changements intervenus chez leurs enfants. « A son retour, écrit l'un d'eux, nous avons pu nous apercevoir d'un certain changement dans ses habitudes et son comportement : devenue plus raisonnable et consciente, elle s'habille maintenant seule, beurre ses tartines le matin, ouvre son lit le soir, etc. »

Les classes de nature provoquent aussi parfois des « déblocages » spectaculaires chez certains enfants timides et renfermés. Il arrive fréquemment, sous l'effet de la pratique sportive et de la vie communautaire, que ces enfants acquièrent l'assurance et l'entrain qui leur faisaient défaut. On assiste même parfois à des progrès de langage pour certains enfants atteints d'un bégaiement tenace. Les amorphes, les mous, ceux qui habituellement se laissent tirer à hue et à dia par les circonstances, voient également leur caractère s'amender en classes de nature. Poussés par les nécessités de la vie collective, ne pouvant compter que sur eux-mêmes, il arrive qu'ils retrouvent vie et énergie et apprennent à se débrouiller seuls. Quant aux « durs », qui jouent habituellement les leaders dans le groupe, la classe de nature ne les confirme pas nécessairement dans ce rôle. Car pour s'imposer dans la pratique de la voile ou du ski, il faut mettre en œuvre des qualités qui ne sont pas forcément celles qui permettent d'accéder à la fonction de leader dans une classe urbaine.

Les classes de nature décapent ainsi les personnalités du vernis qui peut les recouvrir. Elles agissent comme révélateur des caractères authentiques, surprenant parfois les éducateurs eux-mêmes. Ajoutons que, fréquemment, les modifications caractérielles amorcées en classe de nature se poursuivent et s'affirment tout au long de l'année scolaire, pour peu que le climat psychologique et affectif de la classe demeure le même.

## Une initiation à la vie sociale.

La famille est une collectivité trop exiguë pour fournir à l'enfant un terrain d'exercice suffisant en vue d'une bonne initiation au fonctionnement de la vie sociale. Les rapports existant entre ses membres ne sont, d'ailleurs, pas semblables à ceux qu'entretiennent entre eux les membres du corps social. La famille constitue souvent pour l'enfant un milieu protégé, dont il occupe l'épicentre, ce qui se traduit parfois chez lui par un état de dépendance dont il arrive qu'il parvienne difficilement à s'affranchir. La séparation du milieu familial coupe court à une telle dépendance, en même temps qu'elle plonge l'enfant dans une cellule sociale authentique. Bien que miniaturisés, les rapports sociaux qu'il va vivre sont, en effet, des rapports vrais.

L'enfant doit, tout d'abord, apprendre à vivre une relation égalitaire avec ses camarades, lesquels ne se soucient pas, comme ses parents, de le ménager. Il doit accepter les autres et se faire accepter d'eux. « C'était la première fois que je quittais mes parents, écrit une élève, le séjour a produit un grand changement en moi : j'ai appris à m'adapter à la vie collective[4]. » « Nous avons appris à vivre entre camarades, écrit une autre élève, à nous aider, à nous comprendre. » Une troisième élève met l'accent sur le fait essentiel : « Nous avons appris à nous accepter telles que nous sommes, certaines camarades que je n'appréciais pas me sont apparues sous un jour nouveau. »

L'enfant doit ensuite participer à la prise en charge collective d'un certain nombre d'activités communes. Les classes de nature les plus formatrices en ce domaine sont celles dans lesquelles la participation des enfants à l'organisation de la vie matérielle est la plus intense. Participation qui peut se limiter à l'exécution de certains travaux collectifs (faire les lits, nettoyer les chambres, mettre le couvert, laver le petit linge), mais qui

---

4. Dans *Pédagogie, op. cit.*, p. 63.

peut aussi parfois aller jusqu'à la prise en charge complète de la gestion du centre d'accueil. Les enfants apprécient généralement une telle prise de responsabilité. « Nous avons pris des responsabilités, écrit, très fière, une élève de classe de nature : service de table, propreté et rangement des chambres, autodiscipline. »

Cette participation des élèves aux travaux collectifs revêt une évidente valeur éducative. Elle suppose, en effet, le dialogue, pour la répartition des tâches, et ne saurait se concevoir sans la pratique du travail de groupe. Au sein de ces minuscules collectivités enfantines — dont la composition change en fonction des tâches à accomplir — une communication privilégiée s'instaure rapidement. Les enfants ont tôt fait de s'y connaître et de s'y accepter par-delà leurs différences caractérielles. Ils n'hésitent pas, d'autre part, à s'y exprimer le plus librement qui soit.

Ainsi, jour après jour, au fil des diverses activités de la classe de nature, toutes centrées, dans une perspective éducative unitaire, sur l'accession à l'autonomie et l'apprentissage de l'écoute des autres, des liens nouveaux se créent entre les élèves. La classe peu à peu se soude et de collectivité devient communauté. Lorsque sa cohésion est suffisamment forte, elle ne s'effrite habituellement pas de retour en ville.

De l'amélioration de la santé des élèves à l'initiation à la vie collective, en passant par un éveil de leur intelligence et un meilleur équilibre de leur personnalité, les bénéfices recueillis par les enfants ayant participé à une classe de nature sont donc fort diversifiés. Ils sont aussi suffisamment complets pour intéresser tous les aspects de la personnalité enfantine. Ce qui montre, une fois de plus, que les classes de nature sont en mesure de contribuer de manière non négligeable à une éducation globale de l'enfant.

**Les retombées pédagogiques et économiques des classes de nature.**

Les partisans les plus enthousiastes des classes de nature sont convaincus qu'elles n'œuvrent pas seulement dans le court terme, en apportant aux enfants un bénéfice immédiat, mais également dans le long terme, grâce aux retombées pédagogiques et économiques qu'elles suscitent. Bien que nous ne disposions d'aucune évaluation relative à l'impact pédagogique des classes de nature, celles-ci sont habituellement considérées comme un important facteur de mutation dans ce domaine. Encore que de nombreux exemples témoignent en faveur d'une opinion contraire. Il est manifeste, en effet, que certaines classes, vite enserrées à nouveau dans le carcan de leurs habitudes, ne mettent pas en œuvre une pédagogie différente après avoir séjourné à la mer ou à la montagne. Même si, au cours du séjour, la classe, presque par nécessité, s'est ouverte au milieu, elle s'empresse, une fois rentrée, de se replier sur sa pédagogie routinière, pratiquant à nouveau un apprentissage non motivé et une relation maître-élèves conventionnelle et bloquée. La classe de nature n'a été, dans ce cas, qu'une parenthèse heureuse, une « pause privilégiée[5] », une sorte de « luxe dans la grisaille quotidienne ». La pédagogie rénovée pratiquée en classes de nature apparaît alors comme une pédagogie spécifique, non exportable, non utilisable hors d'un contexte donné.

Pour une majorité d'enseignants cependant, la pédagogie pratiquée en classes de nature apparaît sous son jour véritable. Loin de faire figure de pédagogie particulière, adaptée aux seules classes transplantées, elle est perçue comme une pédagogie moderne, ouverte au monde extérieur et susceptible d'être appliquée dans n'importe quelle école élémentaire. Les classes de

---

5. Cf. A. M. COUTROT, « Une école à la mer », dans *L'École des Parents,* n° 7, 1975, p. 9.

nature constituent alors pour les instituteurs comme un déclic leur permettant le « passage à l'acte ». Et nombreuses sont les classes qui ne travaillent plus, après avoir participé à une classe de nature, comme auparavant. La classe de nature ne représente plus dans ce cas une rupture dans la vie scolaire, au même titre que les vacances, mais elle se greffe au contraire directement sur elle pour la féconder et l'enrichir.

Le lien entre la classe de nature et la classe de ville, qui permet à la première de se prolonger dans la seconde, s'établit de lui-même grâce à l'exploitation de la documentation amassée à l'extérieur. La brièveté de la classe de nature ne permet, en effet, pas toujours de mettre en œuvre tous les documents recueillis. Certaines classes travaillent une année entière à rédiger les monographies, à confectionner les maquettes ou les panneaux documentaires destinés à rendre compte, lors d'une exposition de fin d'année par exemple, de l'apport de la classe de nature sur le plan de l'acquisition des connaissances et de la pratique du travail en équipe. Se livrant à ces travaux, qui constituent la suite directe de la classe de nature, les enfants manifestent le même intérêt que lorsqu'ils enquêtaient à la mer, à la montagne ou à la campagne. Les maîtres signalent souvent ce fait. « L'ardeur au travail s'est maintenue après le retour[6] », assure l'un d'eux. Un professeur du second degré note que ses élèves, à l'issue d'une classe de nature, ne travaillent plus seulement en fonction de la note, mais de l'intérêt présenté par l'activité à laquelle ils se livrent. Le rapport de l'enfant au travail se trouve donc incontestablement modifié à la suite d'une classe de nature.

L'exploitation des découvertes réalisées en classe de nature suppose le maintien de l'organisation de la classe qui a permis ces découvertes. Et de fait, nombreuses sont les classes qui

---

6. Geneviève CLAIR, « Les classes transplantées », dans *Pourquoi,* décembre 1974.

adoptent, à la suite d'un séjour hors de chez elles, une organisation coopérative, ce qui les conduit non seulement à modifier leur cadre de vie, par une meilleure organisation de l'espace scolaire, mais également à maintenir la cohésion du groupe-classe telle qu'elle s'est constituée en classe de nature, ainsi que le type de relation adulte-enfant qui s'y est instauré.

Ajoutons que les classes de nature contribuent au recyclage des maîtres qui les encadrent. Le contact entre instituteurs pratiquant des pédagogies différentes, ainsi que celui des maîtres avec des animateurs issus d'horizons pédagogiques divers, est particulièrement bénéfique. Il serait d'ailleurs souhaitable, dans cette optique de formation des instituteurs, que ceux-ci puissent participer à plusieurs classes de nature, ainsi que le demandent ceux qui en ont bénéficié une fois. Ce qui pose le problème de l'importance quantitative des classes de nature. Plus nombreuses, celles-ci pourraient s'insérer dans le processus de formation permanente des instituteurs, au titre de stages en situation dans un contexte permettant une application authentique du tiers-temps.

Les classes de nature pourront enfin constituer, le jour où elles tendront à se généraliser, un élément facilitateur en vue d'un meilleur équilibre de l'année scolaire. Dans la mesure, en effet, où l'équilibrage qui y est réalisé entre les activités intellectuelles et les activités physiques n'est pas générateur de fatigue pour l'enfant, rien n'interdit de penser qu'elles puissent empiéter plus ou moins largement sur nos actuelles vacances d'été, réduisant ainsi une coupure scolaire dont la durée est préjudiciable aux études des enfants. Faire qu'en juin et juillet, voire en septembre, une partie des classes primaires puissent partir en classes de mer ou en classes vertes, peut en outre favoriser un certain étalement des vacances. Il est, en effet, possible d'imaginer des élèves bénéficiant de leurs congés d'été entre le 1er juin et le 14 juillet, participant ensuite à une classe de mer ou à une classe verte jusqu'à la fin du mois d'août, pour reprendre un rythme de classe normal le 1er septembre. D'autres élèves pourraient, au contraire, prendre leurs vacances entre le 1er juillet et le 15 août pour se rendre ensuite en classes de mer ou en classes vertes du 15 août au 30 septembre. Dès lors où les classes qui le souhaitent seraient autorisées à partir en classes de nature entre le début juin et la fin septembre, toutes les combinaisons sont possibles.

Quant aux retombées économiques des classes de nature, considérées comme l'une des formes du tourisme socio-éducatif[7], elles sont loin d'être négligeables. Ce qui explique l'intérêt que leur portent les divers organismes qui se proposent de favoriser le développement économique de telle ou telle région française comme, par exemple, la Société de mise en valeur de l'Auvergne et du Limousin (SOMIVAL), dont les efforts pour la promotion des classes vertes sont considérables.

Première retombée économique des classes de nature, les importantes rentrées d'argent qu'elles provoquent dans les régions où elles s'installent. Bien que ces retombées financières touchent les villes plus que les communes rurales, les classes de nature sont parfois en état de ranimer certains villages en voie de récession économique, en contribuant au maintien de certaines entreprises commerciales, artisanales ou de services qui, sans elles, seraient menacées de disparition ou réduites à végéter. La stimulation, notamment, qu'apportent ces classes au commerce local, en assurant la promotion des produits régionaux auprès d'une clientèle plus ou moins lointaine, rarement touchée par eux, est loin d'être négligeable.

Les classes de nature fournissent également à la main-d'œuvre locale quelques emplois à temps partiels (gardiens de locaux, personnels de service, etc.). Ces emplois sont cependant moins nombreux que ne le souhaiteraient les régions d'accueil, l'ensemble du personnel d'encadrement et une partie du personnel

---

7. Cf. R. MERIAUDEAU et collaborateurs, *op. cit.*

de gardiennage et de gestion étant, la plupart du temps, importé. Les classes de nature constituent aussi une clientèle de choix pour les nombreux parcs, nationaux ou régionaux, qui jalonnent le territoire national, pourvus d'une importante infrastructure d'accueil sur le plan matériel, administratif et pédagogique.

Les classes de neige sont celles qui présentent le plus d'intérêt pour la région qui les abrite. Assurant dans certaines petites stations de sports d'hiver près de 80% de la clientèle en semaine et en périodes creuses, elles contribuent à assurer un travail régulier aux moniteurs de ski et au personnel des remontées mécaniques. Mais le plus grand bénéfice apporté par les classes de nature aux régions qui les hébergent réside dans la promotion touristique qu'elles leur procurent. Les parents souhaitent, en effet, fréquemment passer leurs vacances là où leurs enfants ont séjourné en classe de nature. Ainsi, Saint-Pierre-Quiberon, qui reçoit un nombre important de classes de l'Aisne, a vu en peu de temps le nombre de touristes issus de ce département quintupler. Il en résulte souvent une nouvelle forme de tourisme en milieu rural, du type vacances ou camping à la ferme. Cette forme de tourisme conduit parfois à des jumelages entre communes rurales et quartiers urbains, voire entre communes rurales entre elles, avec échange de produits régionaux par la mise en place de nouveaux circuits de distribution.

L'intérêt économique présenté par les classes de nature n'est pas sans avoir attiré l'attention des promoteurs immobiliers. Très tôt ceux-ci ont compris tout le parti qu'ils pouvaient tirer de cette nouvelle forme d'action pédagogique. Et ils ont proposé la construction, dans certains sites privilégiés, de centres de classes de neige pouvant accueillir des milliers d'enfants. Le Commissariat au tourisme a donné son aval à ce projet. Le ministère de l'Éducation s'y est fort heureusement opposé, arguant du fait qu'il allait à l'encontre des objectifs pédagogiques des classes de nature. Mais il est à prévoir que d'autres propositions, prenant en compte des facteurs de rentabilité plus que de pédagogie, se manifesteront, ce qui suppose une grande vigilance des autorités compétentes si elles souhaitent ne pas voir édifier dans les années à venir de monstrueux complexes de classes de neige ou de mer.

Les avantages économiques des classes de nature ne vont pas sans s'accompagner de quelques inconvénients qui nuisent à leur image de marque auprès des populations locales. Ainsi, dans les grandes stations de sports d'hiver, la présence des enfants gêne souvent les touristes adultes. Il arrive encore malheureusement — et de manière paradoxale — que les élèves des classes vertes causent des dommages aux récoltes provoquant un réflexe de rejet de la part des agriculteurs. Mais le plus fort argument développé par certains responsables ruraux à l'encontre des classes de nature est que celles-ci coûtent cher aux communes qui les hébergent, sans guère alimenter en contrepartie leur budget. Relevant en effet d'associations à but non lucratif, les classes de nature sont exonérées de la taxe professionnelle et ne paient la taxe d'habitation que pour l'éventuel logement du gardien ou du directeur des Centres permanents. Or, la présence de classes de nature impose aux communes rurales des dépenses souvent importantes pour l'entretien des chemins, les adductions d'eau, l'assainissement, l'électrification, etc. Il n'est pas surprenant, dans ces conditions, que certaines communes favorisent l'implantation d'hôtels assujettis à la taxe professionnelle plutôt que de centres d'accueil de classes de nature. Le dédommagement par l'État des dépenses effectuées par les communes rurales au titre de l'accueil des classes de nature conditionne, dans une mesure non négligeable, le développement de ces classes.

# CONCLUSION

## L'AVENIR DES CLASSES DE NATURE

Ni sur le plan réglementaire ni sur celui des faits, les classes de nature ne constituent aujourd'hui un nécessaire rouage de notre système éducatif. C'est encore en marge de celui-ci qu'elles se situent, comme en témoigne le statut expérimental dont sont encore affublées les classes de neige. Tout se passe comme si ces classes représentaient le luxe que s'offre notre organisation scolaire, luxe un peu inutile, sauf à jouer parfois un rôle modestement régulateur. Et, de fait, malgré leur « spectaculaire » progression, les classes de nature ne concernent encore qu'une proportion singulièrement faible des enfants scolarisés à l'école élémentaire. On a calculé que si on prétendait offrir, une fois au moins au cours de leur scolarité, une classe de nature à tous les enfants de six à onze ans, il faudrait en organiser 3.200 par mois, soit à peu près l'équivalent du nombre de classes de neige ayant fonctionné durant toute l'année 1971. Les classes de nature font donc figure, au plan quantitatif, d'expérience limitée, ce qui fait dire à certains qu'elles n'existent que pour permettre à l'Institution qui les tolère de se donner bonne conscience, mais qu'elles ne sont absolument pas en mesure de répondre aux besoins qui les ont fait naître.

Non seulement le phénomène « classes de nature » se présente donc comme passablement étriqué, mais il se révèle de plus particulièrement sélectif à l'égard des enfants. L'insignifiance de la participation financière de l'État instaure, en effet, au niveau des familles et en dépit de l'aide des collectivités locales, une inévitable ségrégation de fait. Les enfants pauvres, ceux qui n'auront jamais l'occasion de voir la mer ou la montagne, sont souvent laissés pour compte par les classes de nature au profit de leurs camarades plus fortunés. La ségrégation s'opère également sur des critères géographiques. Les classes de nature ont été inventées à l'intention des petits citadins et le mouvement auquel elles donnent lieu est à sens unique, de la ville vers la campagne. Ce qui incite certains à penser que la nature, elle aussi, a été « récupérée » par l'école, et que celle-ci, loin de chercher à se mettre à son écoute, se contente purement et simplement de l'annexer. Pourquoi d'ailleurs ne pas organiser des classes de ville destinées à faire connaître la vie urbaine aux petits ruraux ? Nous savons que de telles expériences existent. Il importe de les multiplier si on souhaite que les classes de nature n'aggravent pas la ségrégation qui sépare ruraux et citadins, mais s'emploient au contraire à la résorber.

Le seul moyen d'échapper à toutes ces ségrégations est aisé à énoncer mais difficile à réaliser. Il s'agit, dans un premier temps, d'étendre et, dans un second, de généraliser les classes de nature. Ce qui suppose tout d'abord qu'on accepte de hiérarchiser ces classes afin, tout en se gardant d'en sacrifier aucune, d'accorder une attention particulière à celles dont l'impact éducatif est jugé le plus important. Dans les faits, c'est souvent aux classes de neige que les municipalités accordent leur faveur, les estimant électoralement plus rentables, dans la mesure où elles offrent aux élèves la pratique d'un sport de luxe, le ski, souvent encore réservé à quelques privilégiés. Ce n'est donc pas tellement une démarche éducative qui est, dans ce cas, proposée aux élèves, que l'illusion de participer provisoirement aux rites d'une minorité fortunée.

Les classes vertes ne constituent pas, pour les municipalités, des opérations de prestige au même titre que les classes de neige ou les classes de mer. Aussi les délaissent-elles souvent. Ce qui est regrettable, leur vertu éducative nous paraissant supérieure à celle des autres classes de nature, dans la mesure où on peut estimer qu'un contact vrai avec la nature est plus formateur que le simple apprentissage du ski, de la voile ou de l'équitation. Les classes vertes, seules véritables « classes de nature », au sens fort du terme, sont d'ailleurs susceptibles de « retombées » culturelles et économiques relativement plus importantes que les classes de neige ou de mer. Moins « déracinées » que celles-ci, puisque généralement plus proches de la classe d'origine, les classes vertes sont notamment en mesure de faire progresser la solution des multiples problèmes que pose le déséquilibre de l'environnement urbain.

Sur le plan de la formation des enfants à l'utilisation de leurs loisirs futurs, les classes vertes ont le mérite de susciter des goûts sains, peu onéreux, faciles donc à satisfaire. En mettant l'accent sur les vacances à la campagne, elles peuvent en outre constituer un facteur non négligeable d'étalement des vacances dans l'espace, décongestionnant ainsi les plages au mois d'août. Dans une perspective de généralisation enfin, il n'est pas sans intérêt de noter que les classes vertes sont les moins onéreuses des classes de nature, et qu'une utilisation rationnelle des écoles désaffectées et des locaux des colonies de vacances peut leur permettre, à peu de frais, de se développer de manière importante.

Les priorités établies, il importe de ne plus abandonner les classes de nature aux initiatives disparates et pas toujours éclairées d'une foule d'organismes locaux. Il faut, au contraire, dans une optique de généralisation, d'uniformisation et finalement d'efficacité, mettre au point une stratégie globale dont seul l'État peut être le promoteur. Tant que celui-ci ne se résoudra pas à jouer en ce domaine un rôle moteur, se contentant de suivre et d'entériner, avec retard et réticence, les initiatives d'autrui, les classes de nature végéteront et un hiatus subsistera entre leurs possibilités potentielles et les services réels qu'elles rendent aux enfants.

Cette stratégie globale dont ont besoin les classes de nature, un rapport de la Commission des équipements du Haut Comité de la Jeunesse, des Sports et des Loisirs en a très précisément défini les modalités. Présenté par Jean Picq, auditeur à la Cour des Comptes, à l'issue d'une année de travail d'une commission consacrée au « problème des classes de nature », ce rapport nous paraît représenter la charte prospective actuelle de ces classes. La Commission propose, dans un premier temps, de définir et surtout d'unifier les classes de nature. Quand on connaît les différences statutaires existant entre les classes de neige, d'une part, les classes de mer et les classes vertes, d'autre part, on ne peut que souscrire à un tel vœu. Ajoutons, pour notre compte, que la définition des classes de nature ne devrait plus en faire des classes expérimentales, donc exceptionnelles, mais les considérer comme une structure normale de notre système éducatif. En vue de l'élaboration d'un nécessaire statut général des classes de nature, la Commission propose que le ministère « chef de file » soit celui de l'Éducation, et qu'il travaille en liaison avec l'ensemble des autres ministères intéressés.

Les choses étant clarifiées sur le plan administratif, il conviendra, estime la Commission, pour permettre le fonctionnement normal des classes de nature, de créer des centres permanents en nombre suffisant et de mettre au point la formation des maîtres encadrant ces classes, ainsi que celle de leurs animateurs spécialisés. La Commission reprend enfin à son compte le projet de création d'un « Office public des classes de nature » que nous avions lancé en 1970 à propos des classes de neige[1]. Dans notre esprit, l'« Office National des classes de neige », dont nous proposions la création, devait coordonner l'action des divers partenaires en présence, répartir la subvention d'État, prospecter, voire construire des locaux, passer avec les hôteliers des contrats d'hébergement, former le personnel d'encadrement et enfin assurer le contrôle des classes de neige.

---

1. Cf. P. GIOLITTO, *op. cit.,* p. 292.

L'« Office Public des classes de nature », dont la Commission des équipements du Haut Comité de la Jeunesse, des Sports et des Loisirs suggère la mise en place, serait chargé de coordonner l'action des divers départements ministériels intéressés par les classes de nature, d'informer les collectivités locales sur les possibilités d'accueil et de planifier les implantations. Doté d'un budget autonome, cet Office aurait, en outre, pour rôle d'aider les initiatives locales et de réaliser certains projets « nationaux ».

Nous souscrivons, quant à nous, parfaitement aux conclusions de ce rapport, à l'exclusion cependant de celle qui entérine le caractère local des initiatives relatives à l'organisation des classes de nature. Que les collectivités locales participent, avec l'État, au financement des classes de nature, nous paraît naturel. Mais que ces collectivités soient pratiquement seules à financer ces classes et que, par voie de conséquence, elles en possèdent seules l'initiative, nous paraît constituer un abus de nature à maintenir ce type de classes dans une marginalité sans rapport avec leur originalité éducative. Pour nous, les classes de nature, gratuites pour les élèves, doivent être financées en priorité par l'État et, de manière complémentaire, par les collectivités locales. Elles doivent aussi être mises en place par le ministère de l'Éducation, de manière à ce que tous les enfants qui le souhaitent puissent y participer. Devenues une Institution véritable, étroitement intégrées à notre système éducatif, les classes de nature seront dès lors en mesure de répondre aux objectifs éducatifs, culturels et économiques que leur ont assignés leurs promoteurs.

# BIBLIOGRAPHIE SOMMAIRE

**Livres**

DUSSARDIER M., *En classe de neige*, Nathan, Paris, 1971.

GIOLITTO P., *Les Classes de neige et le tiers-temps pédagogique*, PUF, Paris, 1970.

MAHÉ A., *L'École heureuse*, Denoël, Paris, 1964.

PLANCHON J., *Vacances d'été et d'hiver à la montagne*, Éd. du Scarabée, Paris, 1969.

*Annuaire des classes de nature*, Fondation « Sauvons l'Avenir », 8 rue d'Athènes, 75009 Paris.

*Classes de neige, classes de mer, classes de nature*, La Documentation Française Illustrée, n° 273, avril 1972.

*Classes de neige, classes de mer*, Service des classes de nature de Paris, 9 rue de la Perle, 75003 Paris.

*L'Équitation comme facteur d'animation des classes vertes*, OCCLEP, Limoges.

*Pédagogie des classes de mer*, CRDP de Rennes.


**Articles**

CALMETTE P., « La classe de mer », dans *Pourquoi*, n° 67, juillet-août 1970.

CLAIR G., « Les classes transplantées », dans *Pourquoi*, n° 102, décembre 1974.

CORNELOUP A., « Les classes de nature », dans *Interéducation*, n° 17, septembre-octobre 1970.

COULON G. N., « Les classes de mer », dans *Éducation physique et Sport*, n° 104, juillet-août 1970.

COUTROT A. M., « Une école à la mer », dans *L'École des Parents*, n° 7, 1975.

DENIS R., « Les classes 'nature' », dans *Vers l'Éducation Nouvelle*, n° 252, mai 1971.

GIOLITTO P., « Grâce aux classes de neige », dans *L'Éducation,* n° 95, 4 mars 1971.

GIOLITTO P., « Pour une pédagogie des classes de neige », dans *Les Sciences de l'Éducation pour l'Ère Nouvelle,* n° 2, avril-juin 1970.

GIROD DE L'AIN B., « Les classes de neige sont-elles une réussite ? », dans *Le Monde,* 11 décembre 1965.

PINDIVIC J. et DE ROINCE J., « Classes de mer », dans *L'Éducation,* n° 117, 11 novembre 1971.

ROSIÈRE J. DE, « La classe de mer », dans *L'Éducation,* n° 5, 17 octobre 1968.

VANDERMEERSCH E., « Les classes de mer », dans *Pédagogie,* n° 6, juin 1975.

*Éducation et Développement,* numéro spécial sur les classes de nature, n° 104, octobre 1975.

« Les classes de nature », dans *Courrier de l'Éducation,* n° 26, 15 mars 1976.

*Ski français,* numéro spécial sur les classes de neige, janvier 1977.

# QUELQUES ADRESSES UTILES

**Association finistérienne pour le développement des classes de mer,** Inspection académique du Finistère, B.P. 510, 29107 Quimper.

**Association Ville-Campagne,** B.P. 39, 94220 Charenton.

**Fondation « Sauvons l'Avenir »,** 8, rue d'Athènes, 75009 Paris.

**Organisation centrale des centres de loisirs équestres permanents** (OC-CLEP), 74, avenue Garibaldi, 87000 Limoges.

**Service des classes de nature de Paris,** 9, rue de la Perle, 75003 Paris.


# TABLE DES FIGURES*

_____

* Les figures 1, 2, 3, 5, 6, 8, 9, 10 sont extraites de la brochure _Les Classes vertes dans l'ensemble des classes transplantées,_ éditée par l'OCCLEP à Limoges. La figure 4 est extraite du _Monde_ du 29 mai 1976. La figure 7 est extraite de la _Revue de géographie alpine,_ n° 1, 1976.

# TABLE DES MATIÈRES

BIBLIOTHÈQUE
ÉCOLE POLYVALENTE LA POCATIÈRE
950, 12E AVENUE
LA POCATIÈRE, P.Q., G0R 1Z0

Imprimé en Belgique par Casterman, s.a., Tournai, février 1978. E. 5981-3670.
D. 1978/0053/34.

19911